学校もママ友も教えてくれない
明るく楽しい性教育

赤ちゃんって
どうやって
できるの？
にきちんと答える
親になる！

のじまなみ 監修
ふじいまさこ マンガ

ねぇママ
セックスってなぁに？
ひな（3歳）幼稚園児
一時停止
はるか（30歳）専業主婦
しまった！フリーズしているヒマはない！
再生
幼稚園の準備しないと遅刻するよー！

ひなはもう準備できたよ〜
ねぇママさっきテレビでセックスって言ってた〜
床をみがくやつ？
それはワックス！
電話から紙が出るやつ？
それはファックス！
ねぇママはセックスって好き？
なんで教えてくれないの〜？
ぶぅーー
なんでだろうねー？ママもよくわかんなーい
ドドド
いってきまーす
ふ〜ん
??

ブロロロロロ……
朝から焦って疲れて
もうげっそり……
……ってことが今朝あってさ
わかるー!!
アラヤダ奥さん
おたくも!?
りさ（40歳）専業主婦
まなみ（33歳）フリーライター

うちの子、最近
幼稚園の先生の
胸とか触るから
注意したら
なんで
ダメなの？
って……
うちのお姉ちゃんは
もう8歳だから
そろそろ
生理やブラについても
話さないと
いけないいんだよね
でも、いつどうやって
説明したらいいか……
性犯罪のニュースとか
見ると怖くなるし、
性に関することって
悩むよねぇ……
うち、最近
弟ほしいって
言われて
困ってる……
うちの子は
弟をかわいがるのは
いいんだけど、
「自分も早く産みたい」
とか言い出して……
う〜ん
とりあえず……
フタして
寝かしておくのが
いちばんかなー
つけもの石

ピピー!!

イエローカード!!

性教育、
やるなら今でしょ
すぐ教育!

ガササッ

だれー!?

性教育アドバイザーの
のじまです!

みなさんのお悩み、
「性教育」が
すべて解決して
くれますよ!

とにかく明るい性教育
【パンツの教室】協会代表理事
のじまなみ先生

性教育!?
早くない!?
ユサユサ
寝た子を起こすようなもんじゃ……
やだ、ちょっと恥ずかしい!
性欲
「性教育」はタブーなんかじゃありません
タブーにしているのは大人の都合
本来「性教育」とは「愛」の教育なんです
大切なわが子を「被害者にしない」ため、「加害者にしない」ため
「愛」をもって性教育に挑みましょう!
Let's GO!!

はじめに

はじめてわが子を抱いた時、
「生まれてきてくれてありがとう。あなたのためなら、なんだってするよ！」
心からそう思った。
もちろん今だって、そう思ってはいるけれど、
「赤ちゃんって、どうやってできるの？」
ある日突然、わが子から投げ込まれる「性」に関するド直球な質問には、
あやふやな答えを返すのが精一杯……

でも、「性」って、本当にそういうものでしょうか？

性教育は本来、自分や他人を大切にする気もちを育てていくこと。
決して、「いやらしいこと」ではありません。

子どもは「どうして空は青いの？」と不思議に思うのと同じように、
純粋な気もちで「性」に興味をもちます。
そして、親が答えてくれないことは、迷わずインターネット先生に答えを求めます。
とっても便利なインターネットですが、間違った情報も山ほどありますよね？

子どもにそれを見分ける力があるでしょうか？
だからこそ、「性」を隠して遠ざけるのではなく、学び伝える時代が来ています！

この本は、「今日からおうちでできる性教育」を、
思いっきり笑えて、ほろっと泣けるマンガでまとめました。
元看護師として、また、3人の娘を育てる母として、
性教育アドバイザーの活動を通じて培った
本当に役立つノウハウをたっぷり盛り込みました。

性犯罪、セックス、命の誕生、心と体の変化、インターネットとのつき合い方など、
性に関する「いつやる？」「どうする？」にすべて答える1冊です！

子育ての新しい教科書として、
ご活用いただけるとうれしいです！

性教育アドバイザー　のじまなみ

もくじ

◎参考文献
『お母さん！　学校では防犯もSEXも避妊も教えてくれませんよ！』（のじまなみ著・辰巳出版）

登場人物紹介

はるか（30歳）

妊娠を機に退職し、専業主婦に。喜怒哀楽がはっきりしている。娘（ひな）のおませな言動に困惑する日々。性犯罪に子どもが巻き込まれるニュースを目にするたびに、不安になっている。

ひな（3歳）

天真爛漫な女の子。幼稚園児。同じクラスの男の子とチューすることもしばしば。

まなみ（33歳）

フリーライター。何事にも全力で取り組むパワフルなママ。息子（れん）の下ネタを叱ることにも飽きて、最近は苦笑いでやりすごしている。

れん（5歳）

元気いっぱいな男の子。幼稚園児。「うんこ」「ちんちん」「おっぱい」が大好き。スマホやタブレットを自由に使いこなす。

りさ（40歳）

専業主婦。おっとりした性格かつ心配性。息子（ゆうと）は不妊治療を経て授かった。最近の悩みは、生理について、娘（あおい）にいつ・どんなふうに教えればいいか。

あおい（8歳）

弟の面倒をよく見るやさしい女の子。シャイだが、恋愛には興味あり。

ゆうと（2歳）

電車とママをこよなく愛する男の子。言葉の発達が著しいが、まだ下ネタは言わない。

のじま先生

性教育アドバイザー。おうちでできる明るく楽しい性教育を伝えている。元看護士で、3人の娘を育てるお母さんでもある。

性教育はメリットしかない！

わが子に「セックスってなぁに？」と
聞かれた時の衝撃といったら、
もうそれはとんでもない破壊力。
バズーカ級のド直球な質問に、親は瀕死状態……

性に関すること、
いつかは話さなきゃいけないとは思うけど、
いつ？　どうやって？
性教育で子どもが早熟になったらどうしよう!?
そんなことより、そもそも、
性にまつわる話をするなんて恥ずかしい！

……わかります、とっても。
でも、わが子を大事に思うなら、
いますぐ性教育をスタートしましょう！
フタしている場合じゃありません！
だって、性教育にはメリットしかないんですから♡

性教育……
必要だとは
思うけど……
やっぱり
恥ずかしい！
学校でだって
教えてくれるし……
わたしにはムリよー!!
ダッ
りさーん！
逃げちゃ
ダメー!!
それでは
遅いの、
本当は！
タックル
でもでも、
わたしたちだって
なんにも
習ってないけど
何事もなく
育ったし……
運がよかった
だけです！
そして、時代が違います

国公立では
小学校４年生ではじめて
保健体育の授業で
性教育を行います
しかし
授業数は
多くても
1～3時間ほどが
限界です
少なっ!!
小中学校では
学習指導要領の中に
載っていない文言は
扱わないということもあり、
授業の中で
「セックス」や
「避妊」といった
単語を子どもたちが
聞くことはありません
先生スゴイな
逆にどうやって
指導するの、それ!?
性教育が
どんな授業なのか、
今時のオマセな子どもたちは
ワクワクしながら
待っているのに
？　？
結局、
「なぜ子どもができるのか」
「セックスとはなんなのか」
なにもわからず
モヤモヤが増えるだけの
時間となって
しまっているのです
その「モヤモヤ」の
行きつく先は……
行きつく
先は……？

ずばり！
インターネット
先生!!
なんでも教えて
あげるよ
ウソ
だけど
ハレンチ学園
その検索結果が
どんなものかは……
簡単に
想像できますよね？
ビシ
イツ
もちろん
学校の先生も一生懸命
対応してくれています
でも、性教育の知識が
不足していたり、
反対する保護者への対応、
学習指導要領の制約など
問題は山積み……
つまり、性教育を
学校任せにするのは
ムリがあるんです
……やっぱり
親として
性教育からは
逃げられない
みたいね
たしかに……
ゴクリ……
でも、わたしたち
どうして「性教育」への一歩が
踏み出せないんだろう？
なんで
恥ずかしいって
思っちゃうん
だろう？
押さないで
まだ
押さないで
性教育
イメージ

それは大人が
「性」という言葉に
卑猥なイメージを
もっているから
「性」＝「性産業」に
想像が偏って
しまいがちなんです
なるほど、
そうかも！
イケナイ
ものの
イメージ
が……
でも、
子どもたちにとっての性は、
1ミリも卑猥なものでは
ありません
赤ちゃん
どこから
来るのか
なー

「性」という字は
「心を生かす」と
書きますよね

心＋生＝性

「性教育」
とは本来、

「命の誕生の
奇跡」

「愛し愛される
こと」

「自分の身を
守ること」を
伝えることです

そして、子どもたちがもっている性への純粋な好奇心を満たすことこそが本当の「性教育」なのです
お母さんがこうした性教育を行うことで、子どもたちの人生に**大きな3つの宝物を授けてあげることにもつながります**
大きな3つの宝物!?

宝物その1

自己肯定感が高まり、自分も人も愛せる人間になる

人生、生きていれば必ず1度や2度、挫折を経験します 小さな頃は、勉強やスポーツ、お友だちとのトラブルなどなど、子どもながらに真剣に悩んだりするもの

ああ思い当たるー!

成長したらしたで、受験に失敗したり、恋に破れたり、自分の容姿に悩んだり……

中2の夏にひどい振り方をした鉄男のことはまだ許してない

思い出した……

そんな毎日を生きる中で、10代の子どもたちは

死に関心をもってしまうことが少なくありません

ゾク!!

事実、10代の死因のトップは自殺……

その背景には、自己肯定感の欠如があるといわれています

死

生

ご存知ですか？日本の子どもたちの自己肯定感は海外の子どもたちにくらべて飛び抜けて低いんです

日本は安全で物も豊かで親からも愛情をたくさんもらっているはずなのに、「自分が好き」と思えない子どもがたくさんいる……

はっ！
日本人と海外の人の
違いというと……
海外の人って
子どもに
どストレートに
愛情表現してるから？
アイラブユー!!
ライアン!!
知ってるよ
ママン
イメージ
それにくらべて
日本の親って
あんまりしないから!?
そうですね、
口べたな日本人は
「大好き」や「愛してる」
という言葉を使うのは
照れくさい方も
多いですよね
で…できない～
そんな時は、
「あなたは
何億もの奇跡が
重なって
生まれて
きたんだよ」
「ママもパパも
あなたを待ち望んで
いたんだよ」
といった具合に、
生まれてきた時の話を
してみてください

命の誕生について
伝えようとすれば、
自然に愛の言葉が
あふれてきます
子どもはしっかりと
「愛情」を受け取り、
エネルギーにしていきます
この愛情の積み重ねが
「愛情貯金」になり、
自己肯定感につながるのです
そして
この自己肯定感が
自分の命も
人の命も大切にする
思いやりへと
成長するのです
死にたい……
でも
わたしを大切に
してくれる
家族がいるから
生きよう！
人の命って
大事にしなきゃ
ダメだよね！
死
生

性犯罪の被害者・加害者にならない

性犯罪はニュースで毎日のように流れるけど……

うちの子に限って……

心の声

聞こえてるぅー!!

ピピー

残念ながら子どもを対象にした性犯罪の件数は想像以上の数なんです!

13歳未満の子どもに対する性犯罪の検挙件数は全国で年間900件以上!

900件以上

ドーン

とくにSNSを経由した子どもの性被害の検挙件数は年々増加しており、強制わいせつだけでなく児童ポルノ、自撮りした裸の写真をインターネットで流出させてしまうなど、その被害は多様化しています

ぎゃーー!

怖すぎるーー!!

さらには、自分が受けた行為が性犯罪だと気づいていない場合もあるため、検挙されていないケースはその5倍から10倍にものぼるであろうといわれています
また、「被害の8割は知り合いによって起こされた」というデータもあります

パンツちょうだい

おかーさーん あのお兄ちゃん パンツちょうだいって 変だよねー!!

性教育を受け、自分がされたことが「性犯罪」だと判断できれば、「これは間違ったことだ」「親に相談しよう」と思えるようになります

不審者情報だけでもしょっちゅう聞くのに知り合いの犯罪もそんなにあるなんて……

女の子は心配よね

その考え、危険ー!!
ド
ゴッ
油断してっと被弾すっぞーー!!
男の子だって安心できません!
アー

声掛け事案の被害者は小中学生が8割で女の子が6割
……ということは⁉
ハイ算数の時間です‼
そう、4割もの被害者は男の子だということです！
ほぼ男女差なーーい
イヤー‼
うちは男の子だから、加害者にならないように気をつけることしか考えてなかった……
あと、「うっかり加害者」にならないようにすることも気をつけましょう
がくーっ
うっかり加害者⁉
悪気なく、性的な嫌がらせをしてしまうことです
スカートめくりや友だちのパンツをおろすとか……
うちの子やりそう！
性教育では、「自分と他人それぞれの体に大切な場所がある」ことを学び、人にしてはいけないことをしっかり理解するので、相手をいたわる気もちが育まれます
だから、性教育を受けている子どもは性犯罪の被害者にもうっかり加害者にもなりにくいんです

低年齢の性体験、妊娠・中絶のリスクを回避できる

低年齢での望まない妊娠・中絶……？
さすがにまだ心配するのは早いよねぇー
心の声
だだもれですよ
親の〝まだ早い〟はいつだって〝もう遅い〟んです！

子どもたちは思春期になると、「セックスは早く経験するのがよい」と思い込む時期がきます

LEVEL95
ケイケンシャ

LEVEL1
ミケイケンシャ

その年齢も、わたしたちが生まれ育った時代よりどんどん低年齢化しています

性教育では、セックスの意味と大切さ、そして、それに伴うデメリットやリスクもきちんと伝えます

デメリット
望まない妊娠
中絶
リスク
性病

そうすることで子どもは、「今どうしてセックスをしてはいけないのか」理解するからこそ、興味本位のセックスをしなくなるのです

低年齢での
望まない妊娠・中絶は
子どもたちの
多忙で多感で充実した
青春時代を
あっという間に
壊してしまいます
赤ちゃんの誕生は
喜ばしいことの
はずなのに、
たった10年早く、
10代で産んでしまうことで、
幸せの象徴である
赤ちゃんを
疎ましく思ってしまう
可能性が、
残念ながらとても高いのです
知っていれば
防げたはずなのに
こんな悲しい経験を
子どもたちには
させたく
ありませんよね
子どもたちが
夢に向かって
駆け抜けていくために、
性教育を通じて
わたしたちが
サポートしていきましょう!
夢
はい!!

わかりました、のじま先生！
わたしたち、親としてわが子のためにきちんと性教育の道を進みます！

性教育の道

……でも待って！
やっぱり怖い！

まなみさん⁉

ふたりは先に行って！
うちの子は「うんこ」「ちんちん」「おっぱい」が大好物な幼稚園男児なのよ⁉
へたに性教育なんてしたら外でなんて言い出すか……

セックス
セックスー

だいじょうぶ！
「水着ゾーン」に関わる話が人を傷つけると教えるんです

「水着ゾーン」⁉

先生……

体には
人に見せても、
触らせてもいけない
自分だけの
大切な場所がある
これが
「水着ゾーン」です！
女の子
男の子
口
胸
おしり
性器
口
隠れて
なくても
大事
胸
おしり
性器
●「口」と「水着を着て隠れる場所」を指す
●男の子も女の子も、口・胸・おしり・性器

水着ゾーンの鉄則1　自分にとって大切な場所だと徹底して教える

水着ゾーンは
他人に見せても、
触らせてもいけない
自分だけの大切な場所！
水着ゾーン

だから、
あなたの水着ゾーンを
見たがったり、
触りたがったりする人は
危険な人
見せて
危険
ビーーン
また、
水着ゾーンを
無理矢理見せたり、
触らせたりしようと
する人も危険な人
見てー!!
危険!!
ビー！

どちらも
大声を出して
逃げなければいけません
助けてー!!
変な人が
いたよー!!
そして、すぐに親や先生など
大人に伝えること

友だちにとっても大切な場所だと徹底して教える

水着ゾーンが
自分にとっても
友だちにとっても
大切な場所だと教えれば、
たくさんのことが
説明できるようになります

スカートめくりを
する子には

スカートは女の子の
水着ゾーンだよ！
めくってよかったかな？

ふざけて
おちんちんを
蹴る子には

お友だちの水着ゾーンを
触ってはいけないよね？
おちんちんには
命の種が入っているんだよ

子どもたちは
遊びのボーダーラインを
知りません

水着ゾーンを使い、
親がしっかり
線を引いて
あげましょう

OK

NG

水着ゾーンの鉄則3

外で水着ゾーンに関わる話をしたり、見せたりしない

男の子はとくに
ヒーロー願望があるので
注目を集めたい
生き物です

それが
悲鳴や非難であっても
彼らは気づきません！

コクコクコクコクコク

そうそう
そうそう

下ネタワードを大声で
発したり、
おちんちんを出して
喜んだりするのも
ヒーロー願望によるもの

ちんちん仮面だー

こんなヒーロー

イヤだなあ……

ご家庭では
楽しんで
下ネタワードを
性教育につなげて
語り合ってください

ただ、最後にひと言、
「この話は水着ゾーンだよね！
外で話しても
よかったかな？」と
釘をさしてあげましょう

水着ゾーン

水着ゾーンを
制すれば、
わが子も
制するのですね！

水着ゾーンの鉄則4 家族も水着ゾーンには触らない

じゃあ、
わたしたち家族は
子どもの水着ゾーンと
どうつきあえば
いいのかしら？
「子どもが
4歳を過ぎたら
お母さんも触らない」を
基本にしましょう

4歳になれば
トイレトレーニングが
進みますので、
パンツの上げ下げを
手伝う程度にし、
性器は触らないように
しましょう
自分で
拭けるね
子どもは
「大好きなお母さんも
触らない場所なんだ」と知り、
水着ゾーンが
自分だけの
大切な場所なんだという
意識を高めていきます

うち、うんちの時
仕上げ拭きを
しているんだけど
どうしよう？
そういう時は
「うんちなので、
水着ゾーン
失礼します」と
断って拭きましょう
失礼
します!!

わかりました、
のじま先生！
帰ったら
さっそく子どもに
水着ゾーンのことを
教えます！
お風呂で
お話するのが
おすすめですよ！
裸になる
お風呂の時間なら
お母さんも説明しやすいし、
水着ゾーン
とは!!
どこ〜？
子どもは目で見て
理解できます
また、お風呂には
テレビもなにもないので、
子どもと向き合って
落ち着いて話せるのも
いいですね

「水着ゾーン」の理解が
進んだら、
つぎは寝る前などに
「水着ゾーンクイズ」を
やってみましょう！
他人に触られてはいけない、
自分だけの
大切な場所は
どーこだ？
口！
胸！
性器！
おしり！
その通り！
覚えておいてね！
該当する部分を
隠すジェスチャーを
つけて
くり返し楽しく
ゲームのように
やるといいですよ！
口
胸
性器
おしり
やってみます！
……
どうしたの
りささん？
うちの子……
こないだ
コクられたって
言ってたんだけど……

このまま
彼氏彼女の関係になって、
性の知識なんて
つけちゃったら
早熟して、逆にこれ
パンドラの箱を
開けてしまうような
ものじゃ
ないのかしら!?
シュゴー
性欲
性
欲
「性教育で
子どもが早熟になる」
これは
性教育に反対する
大人たちが
主張する
決まり文句です
しかし、
「正しい知識は
子どもを守る」ことが
実際に明らかに
なっています！
なんと!!

日本性教育協会などの調査では、「幼少期に適正な教育を受けた場合には初体験の年齢が上がる」
逆じゃないんだ!?
えっ
自分勝手な男なんかポイだ!!
性教育
「性教育には望まない妊娠を防ぐ効果がある」ことがわかっています
また、10代の人工妊娠中絶率が問題となっていた秋田県では、2000年代初期から中高生の性教育をスタートすると、
1/3
ドーン
2011年度には、なんと中絶率を3分の1にまで減らすことに成功したというデータがあります!
性教育は寝た子を起こすと思っていたけど……
いいかいちゃんとお聞き
性教育
自分を
大切に
欲
性
自分を大切にできる子を増やすことだったのね!

そう、性教育は命の尊さ、愛情の深さ、相手をいたわる心をわが子に学ばせることのできる「愛情の連鎖」です

１００利あって１害なし！

いいことづくし!!

わかりました、のじま先生！

押忍!!

これでわたしたち、安心して学ばせられるわ！

COLUMN

教えて！のじま先生！

Nojima's Answer

A 残念ながら、本当です……。世界的な標準からはかなり遅れています。

日本では、性について触れてはいけないという意識がまだ根強く残っています。それゆえ、学校現場でも「性交」「避妊」「人工中絶」といった言葉を使って、踏み込んだ性教育をすることがタブー視されています。

では、他の国ではどうなのでしょうか？　国連教育科学文化機関（ユネスコ）が提唱する「国際セクシュアリティ教育ガイダンス」の中では、世界の標準的な性教育は「5歳から」となっています。

「そんなに早くはじめるの!?」と、驚いてしまうかもしれません。でも、今は2〜3歳でもスマホやタブレットを自由に使いこなす時代。性的な情報へ簡単にアクセスできる環境があるのです。

また、呼び掛けるだけでテレビなどにアクセスできるAI家電というすぐれものが家庭に普及してきましたよね。幼い子どもが発した「おっぱい」という声に反応して、突如AI家電にアダルトな動画が現れた!! なんて話もよく聞かれます。

子どもたちが性について間違った知識をもってしまわないよう、親としてなにができるか。学校任せにするのではなく、家庭教育として、子どもたちに性をどう伝えていくか。親のあり方が問われる時代がすでに来ています！

性教育はやっぱり母親がやるべき？父親の無関心な態度にイライラする！

Nojima's Answer

両方でやるのがベスト！でも、まずは「お母さんが主導＆お父さんは応援」をめざしましょう！

「イクメン」という言葉が流行りましたが、そうはいっても、日本の多くのご家庭で、子どもと接する時間が長いのはお母さん（そうでない場合は、「お母さん」と「お父さん」を入れ替えて読んでいただいてもOKです）。また、一概には言えませんが、女性より男性のほうが、性教育に抵抗感を示すことも多いようです。

なので、まずは「お父さんも参加してくれたらラッキー♪」くらいの気もちで、お母さんが主導ではじめてみましょう。そして、その時大事なのは、お父さんとの間にある「温度差」を把握して、お父さんに応援してもらうこと！　お父さんがもつ、性に対するタブー感や戸惑いに不満を言うのではなく、代わりに「子どもに性教育をはじめるから、なにか困ったことがあったら、応援してくれるとうれしい！」と伝えてみてください。

そして、お父さんがいつでも参加しやすいように、家庭で性の話ができる環境をつくっていきましょう。

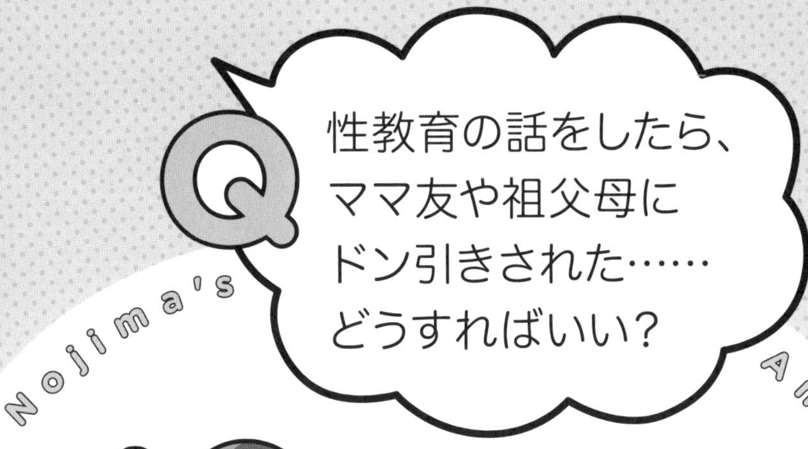

Q
性教育の話をしたら、
ママ友や祖父母に
ドン引きされた……
どうすればいい？
Nojima's Answer

A

性教育の３大メリットをしっかり伝えましょう！

世代間ギャップがありまくりなおじいちゃん・おばあちゃんは、「性教育」と聞くと絶句・赤面しても仕方がないかもしれません。ママ友さんの場合、興味はあるけれど、恥ずかしくてなかなか反応できないということも考えられます。

いずれにせよ、性教育をはじめようと思った理由を説明することが先決です。

- **「赤ちゃんってどうやってできるの？」と、子どもに聞かれて困ったから**
- **子どもの同級生が性被害に遭ってしまって、他人事ではないと実感したから**

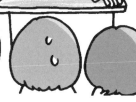

などなど、きっといろんな理由がありますよね。

それをふまえたうえで！　性教育の3大メリット（→20～28ページ参照）をしっかり伝えて、理解を得るようにしましょう。

「子どもたちを守りたい！」という気もちは、だれもが同じ。性教育仲間を増やして、地域の目で子どもたちを見守っていきましょう！

3大メリットー

性教育は3〜10歳で行うべし！

はっ
いつの間にこんな大きく!?
こないだまでバブバブ言ってたのに
うんこ
ちんちーん

「性教育ってやっぱり必要なんだ！」
そう頭では理解しても、
どこかで「うちの子にはまだ早いよねー」
なんて思っていませんか？
……思ってますよね？　きっと。

でも、子どもはあっという間に大きくなります。
それに、親が思っている以上に、
子どもは性に関する情報を
あらゆるルートから仕入れています。

つまり、親の「まだ早い」は
いつだって「もう遅い」んです。

ずばり！　性教育は3歳から！
「うんこ」「ちんちん」「おっぱい」と
なんのためらいもなく叫んでいる年齢こそ、
性教育のゴールデンエイジなんです!!

安心して
性教育を
学ばせられる！
そう実感した
わたしたち……
時が来たら
ちゃんと
向き合おうね……
そうだね
時が来たら……
お迎えの
ブロロ－
バス
ただいま～
ねぇママ
赤ちゃんって
どうやって
できるの？

時が来たぞー‼

プオーー

であえ
であえーーっ

赤ちゃんって
どうやって
できるの？

ちょっと
その球
持ってこないで！

アワワ

赤ちゃんって
どうやって
できるの?

ワワ

あわわわ
こっち
来るなー！

ねぇ
ママってば〜

そそそそうね
コウノトリが
運んでくるのかな

え〜
本当に？
ゆうちゃんって
どうやって
できたの？

アアア
アマゾ●で
注文したかしらー？

ねぇママ、ボクも知りたい！本当はどうなの？
弟ほしいよ〜！
ほしいからってすぐ手に入るもんでもなくって……
ええっと……ガチャガチャみたいなもんで運もあって……
ガチャガチャ⁉ 本当に⁉
あっ！ばあばだ！ガチャガチャやりに行こう！
ひなも！ひなも行く〜！
……マズイ うちの子鳥が運んできたことになってる
うちはネット通販
ガチャガチャと思わせてしまった……
アワワ
ワワワ

落ち着いてー‼
話は聞かせてもらったあぁ
ガサー
のじま先生‼

だだだだって先生、うちの子まだ3歳なのにこんなど直球な質問
早熟⁉

いいえ、いたって正常！
この手の質問は80％の子どもたちが5歳までに親にたずねます

子どもが命のスタートに関心をもつのは、自分という存在に関心をもっているのと同じことです
子どもは、自分の命のスタートを知ることで、生きていくための強い土台をつくろうとしているのです

セックスがなければ、わたしたちはこの世に生まれてくることはなかったですし、子どももいません
だから親は命のスタートにタブーをつくるべきではないのです
もしそこにタブーをつくってしまったら、子どもの人生の土台は揺らいでしまいます
なぜなら、「性」は「人間としての軸」だからです
それが揺らぐと、自分を価値ある人間だと思えなかったり
さみしさから簡単に体を許してしまうような性行動に走ってしまうこともあるのです
土台
ヤバイ……
時間よ戻れ!!
グラグラ
グラグラ
土台
ひどい土台をつくってしまった……

だいじょうぶ！
オモシロ回答でも、
答えることに
果敢にチャレンジ
したことは
すばらしい！
拍手!!
ただ、
「黙る」「否定する」
「逃げる」はＮＧ！
親子の間で
「性の話は
タブー」という
大きな溝を
つくることに
なってしまいます
じつは、
性の話には
「一度きりルール」
というものが
存在します
一度きり
ルール!?
子どもは
とても敏感です
親の戸惑う表情を
見逃しません
子どもの頃、
親と一緒に
テレビを
見ている時に……
ああ〜ん
……なんてシーンが
はじまって、
家の中が凍りついた経験
ありませんか？

あった……！
親がすごい不自然に見ないふりとかするから、わたしも知らんぷりしなくちゃって思ってた
母
父
チャンネル変えるぞー
聞いてはいけないことなんだなって察したよね
そう、子どもが性に関する質問をした時に親がドキッとして黙り込んだり、否定したりすれば
そんなこと聞かなくていい！
あっ……これは質問してはいけないんだ
と、子どもは思ってしまうんです
このままでは親から嫌われる、怒られると思った子どもは口も心も閉ざします
そして二度と性のことを親に「聞けなく」なってしまうのです
親に頼れなくなった子どもたちが頼る先は……

ご存知！
かわいそうに
さあおいで
ハレンチ学園
インターネット先生‼
それは困るー‼

でもでも正直ドキッとしてさっきもあわあわしてしまったし……
ビュン
赤ちゃんなんでできるの
子どもって急に変化球投げてくるから受け取れない……
先生、一体どうしたら……⁉

そんな時は「魔法の言葉」
魔法の言葉⁉
ドキッとしたら一度深呼吸してこう答えましょう

「いい質問だね！」
なぜこれが魔法の言葉なのか、理由は３つあります
1　お母さんのドキッとした表情を隠せるため
い…いいい
いい質問だね！
ドキッ
2　子どもたちが受け入れてもらったと感じられる
パアア
3　なんでそう思ったか、そこにフォーカスできるため
なんでそう思った？
たとえば、幼稚園から帰ってくるなり「赤ちゃんってどうやってできるの？」と聞いてきたら、じつはお友だちに妹が生まれたから聞いてきたのかもしれません
バブー
「赤ちゃんってどこから生まれてくるの？」という質問なら、帝王切開のことを「お腹を切った」などと聞いて、怖いイメージをもったのかもしれません

また、

童貞ってなぁに？

と聞いてきたら、テレビやインターネットで耳にしたのかもしれません

ぼくのちんちん、大きくなる？

と聞かれたら、だれかにイヤなことを言われたのかもしれないし、もしかしたらだれかにいたずらをされたのかもしれません

いい質問だね！なんで知りたいと思ったの？

と導くことで、子どもの「なんで？」の裏側にある理由にはじめてアプローチできますし、「なんで？」がわかれば、必要な対処ができますよね

もし答えられない質問でもだいじょうぶ！
調べておくから、後で答えるね
とつけ加えましょう

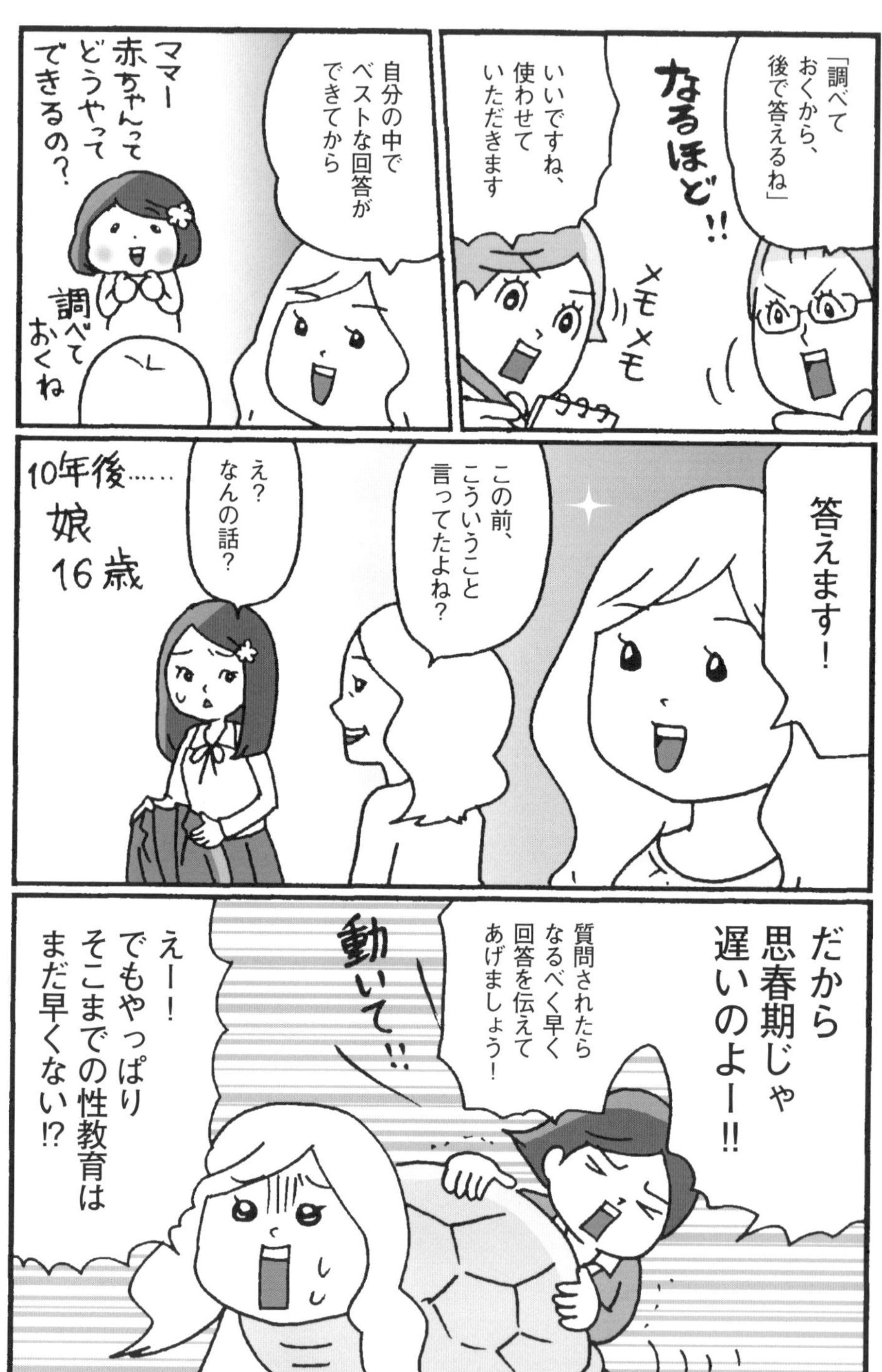

「調べて
おくから、
後で答えるね」
なるほど!!
メモメモ
いいですね、
使わせて
いただきます
自分の中で
ベストな回答が
できてから
ママー
赤ちゃんって
どうやって
できるの？
調べて
おくね
答えます！
この前、
こういうこと
言ってたよね？
え？
なんの話？
10年後……
娘
16歳
だから
思春期じゃ
遅いのよー!!
質問されたら
なるべく早く
回答を伝えて
あげましょう！
動いて!!
えー！
でもやっぱり
そこまでの性教育は
まだ早くない!?

3歳でも卑猥な画像や映像が見られるのが今の時代です！

ちんちん
おっぱい

小学生になってスマホをもてば、自分で画像や動画を探し出すこともできてしまいます

そして、子どもたちはひな鳥がごとく、最初に目にしたものを性の教科書として信じてしまいます

ハレンチ学園

だからこそ！親の声掛けがとても大切なのです

子どもに海も川も行ってはいけないと禁止したとしても、子どもたちは人目をしのんでプールを囲う金網の小さな穴を見つけて侵入して

だれも見守ってくれないプールに思いっきり飛び込んでしまうのです

だから、
溺れてほしくなければ
泳ぎ方を教えなければ
いけないのです！
性教育も同じです！
怖い思い、つらい思いを
させたくないのであれば、
なにが正しくて
なにが間違っているのか……
そこを教えて
あげなければ、
子どもたちは
間違った情報に
溺れてしまうのです！
ウソ
ウソの情報
ウソ
ウソ
ずばり！
性教育は
3歳から！
3歳から!?
3歳から10歳は
まさに
「うんこ」
「ちんちん」
「おっぱい」が
大好きな
年齢です！
下ネタの
オンパレードですが、
この年代の子どもたちは
そこにただ興味が
あるだけ
うんこー
ちんちーん
卑猥な感覚など
もっていません
おっぱーい
キャキャキャ

0～1歳半	口唇期 母乳などから 栄養をとることが快感の時期
1～3・4歳	肛門期 肛門からうんちが 出ることに達成感を得る時期
5～6歳	男根期 男の子はおちんちんの存在に気づき、 女の子はおちんちんが 自分にはないと気づく時期

♀
♂
精神分析学の創始者として知られるフロイトが研究した発達段階から考えても、3歳から10歳は性教育の適齢期に当てはまります
子どもが自分の体に興味をもつ肛門期や男根期だからこそ、お母さんからたくさん声掛けをしてみましょう！
こんな感じで
おしっこ行こうね、おちんちんはどう？
おまんまんをきれいに拭こうね
ふだんはおちんちんもおしりも、パンツの中に隠れているよね
大切な場所だから、出していいのはトイレの時だけだよ
自分の大切な場所は自分で洗おうね
など、折に触れて伝えることで、子どもたちも少しずつ関心をもって、性の話を自然に受け入れるようになるでしょう

たしかに……
3歳から10歳か……
一理
ありますね
でも、やっぱり
思春期になってから
話したほうが
手っ取り早いんじゃ
ない？
だからりささん！
思春期じゃ
遅いんだってば！
聞いてた
話!?
でもだって
うちの上の子
もう8歳よ!?
「うんこ」も
「ちんちん」も
もう言わないのよ！
反応が
怖いのよー！
8歳だと
「無反応期」かも
しれませんね
無反応期!?
ナニソレ!?
どーん
それでは
性の話をした時の、
子どもの年齢別の反応を
ご覧ください！

1
3〜6歳
感動期
うんこー
ちんちーん
おっぱーい
生んでくれてありがとう♡
もっと教えてー♡

2
7〜9歳
無反応期
ふーん
で、マンガ続き読んでいい？

3
10歳〜
キモ・ウザ期
なに言ってんの!?
キモーイ
ウザーイ

4
思春期
ノーサンキュー期
……

りささん!!
ハッ
うちの子が
もう手遅れだ
なんて……
ピク ピク
このままわたしの話なんて
聞いてくれず、
性に無知なまま
思春期を迎えて……
渋谷で
変なバンドマンに
ひっかかって
「お母さん、わたし
彼の夢を応援したいの！
あと、おなかに
彼の子がいるの」って
なるんだわー！
りささん、
しっかりー!!
気をたしかに!!
アーッ
まだだいじょうぶ！
りささん、
お母さんのとるべき
対応を紹介しますね
先生、うちの子……
まだ助かりますか!?

1

3〜6歳
感動期

「キャー♡もっと教えて〜」
なんて１番かわいらしい反応を
見せてくれる時期。
めいっぱい楽しみながら
性教育をしましょう！

2

7〜9歳
無反応期

一転して「ふーん」という
薄い反応しか示しません。
伝え方が悪いわけではなく、
いろんなものに興味がわき、
１つのことに集中できない時期。

気分が乗れば耳を傾けるので、
焦らず気長に、
子どもと向き合いましょう。

また、「もっと知りたい！」と
思っても、
質問をためらってしまう
時期でもあるので、
小さな反応も見逃さずに！

3

10歳〜
キモ・ウザ期

「キモイ・ウザイ！」とついに
拒絶するように。
でも、「キモイ」「ウザイ」は
この時期の子どもがよく使う
「はい、わかりました」の返事です。
お母さんはひるまずに！

親からの自立を望む時期なので、
「手短に」続けましょう。
「あなたが大事なんだよ」
という真剣な思いは
しっかり感じ取って
くれますので、
「手短に」をお忘れなく！

手短に!!

4

思春期
ノーサンキュー期

子どもにもお母さんにも
抵抗感が出る時期。
「そんな話はノーサンキュー」
オーラとともにあしらわれ、
ヒマラヤ山脈より高い壁を
感じることでしょう。

来んな!

「うんこ」「ちんちん」
「おっぱい」って
叫んでいる時期に
やっときゃよかった
性教育！

先生、
うちの子まだ
だいじょうぶですね！
わたし、焦らず気長に
向き合います！
そうね、
やっぱり早いうちに
性教育をはじめて
おいたほうがよさそうね！
ママ～
ガチャガチャで
赤ちゃん
出なかったよ～
イメージ
でも
どうやって!?
ヤベェ
帰って来る!!
では、
のじま流模範回答を
伝授します！
押忍！
のじま道場

質問１

赤ちゃんってどこから生まれるの～？

赤ちゃんって、男の人と女の人、どっちが産むと思う？

男の人～！

両方！

女の人～！

そう、女の人だね、よく知っていたね！女の人の性器には３つの穴があるんだよ

①おしっこの穴

②赤ちゃんを産む穴

③うんちの穴

この３つだよ

赤ちゃんを産む穴は「膣」といってね、女の人にしかないんだよ

ここから、赤ちゃんが出てくるんだね

へ～

質問2
赤ちゃんってどうやってできるの？
どうやってできると思う？
たまごをあたためたらできる！
サンタさんにお願いしたらできるんだよ！
そっかそっか
赤ちゃんはね、男の人のおちんちんが、女の人の膣に入ってできるんだよ
男の人のおちんちんにある精子と女の人の中にある卵子がくっついて、赤ちゃんになるんだよ
へ〜
「おちんちんを膣に入れて……」という話は、子どもにとって理解しづらいことですが、ぼかさずに説明するのがいいと思います
ど…どストレート……

……といっても、子どもは3カ月もすれば内容を忘れてしまいます

話し方を変えて、何度も伝えてあげましょう

??

たとえば、

どうしておちんちんは固くなると思う？

精子は空気に触れると死んでしまうから、卵子にうんと近いところまで行けるように、おちんちんが固くなって、膣に入りやすくするんだよ

といった具合です

へー

ど……ドストレートに答えるのがいいのですね!?

ハードル高いけど…っ

性教育

越えてみせる!!

わかりました！わたしたち、覚悟を決めます！

COLUMN
教えて!のじま先生!
Q
もう手遅れ!?
10歳以降の子どもに
対する性教育は
どうする?
宣言!
あなたのことが大事だから
性教育をはじめます!

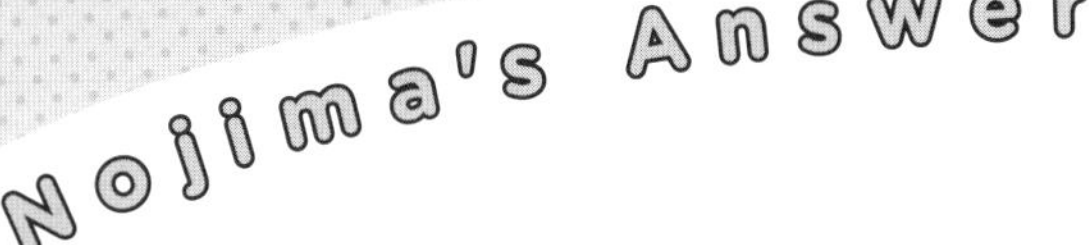

A ハードルは高くなるけれど、間に合います！「宣言・まじめに・手短に」をポイントに！

10歳前後の子どもは、まさに親から自立の時期。親よりも友だちの話を信じたり、親と話すことを面倒と感じたり、「心理的な大人の階段」を上りはじめます。この階段を上りはじめた子どもは、親から性の話をされることがとにかく「気もち悪い！」と感じがち。なので、やはりそうなる前に、性教育をはじめておくのがベターです。

でも、安心してください！　10歳以降はもう手遅れかというと、そうではありません。もちろん、10歳未満の子どもに対してよりはハードルが高くなるので、ちょっとした工夫が必要になってきます。

10歳未満の子どもには「明るく・楽しく・何回も」が基本ですが、10歳以降の子どもには「宣言・まじめに・手短に」が、よりスムーズに性教育を進めるポイントになります。なにより大事なのは、わが子を1人の大人として接すること。まずは、「話を聞いてほしい」とお願いしたうえで、

・「あなたのことが大事だから、今日から性教育をはじめるね」と宣言
・楽しくよりも、まじめに
・1分くらいで話せる内容で、手短に

という流れで進めていきましょう。

「あなたのことが大事だから」──この言葉をつけ加えるだけで、子どもはぶっきらぼうながらに耳を傾けてくれるようになっていきますよ。

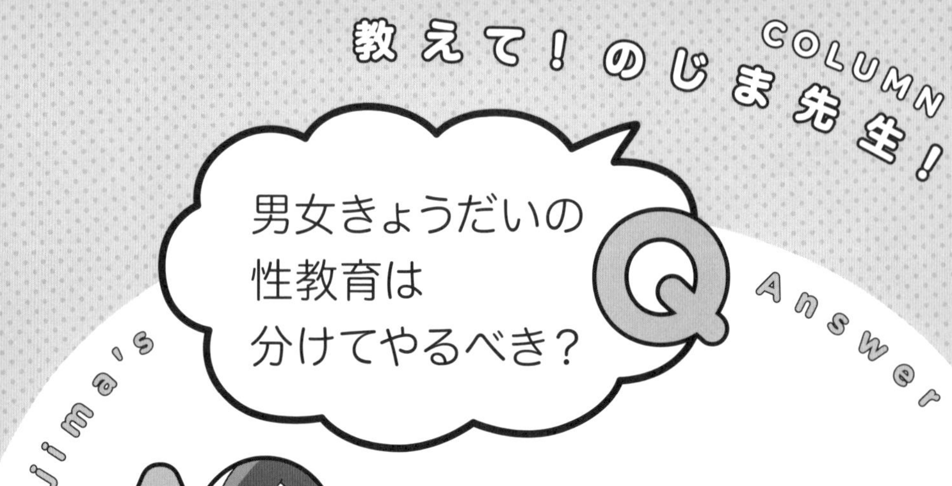

教えて！のじま先生！
COLUMN
男女きょうだいの
性教育は
分けてやるべき？
Q
Nojima's
Answer

A 一緒にやることのメリット大！ ただし、マナーは守って！

性教育で大事なことは、「自分の体を知り、異性の体を知ること」です。男女きょうだいの場合、男女の違いを自然と理解できる面があります。つまり、性教育を一緒にやることのメリットが期待できます。

生理の話も精通の話も、命の話も身を守る術も、一緒に話をすることで、たとえば男の子なら、生理中の女の子にはやさしくしようという気もちが芽生えますし、女の子なら、「男の子って単純だなー」といった考えも含めて、異性を見る目も育ちます（笑）

ただし！　親しき中にも礼儀あり！　たとえ、きょうだいといえども、水着ゾーンを見せたり触ったりするのはNG。子ども同士でおちんちんを引っぱったり、お姉ちゃんのおっぱいを触ってみたり、そんな行為が見られたら、きちんと注意をしてあげてください。

おうちでやることは保育園や幼稚園、小学校でもやってしまいがちです。家庭教育の中で、きょうだい間のマナーを教えていくことで、お友だちとのトラブルも防げるようになります。

Nojima's Answer

年齢の離れているきょうだいの場合、上の子に合わせてだいじょうぶ？

Q

10歳未満であれば、上のお子さんに合わせてOK！

ごきょうだいとも10歳未満であれば、上のお子さんに合わせてOK。上のお子さんに話していることを下のお子さんが聞いていても、わかる範囲の言葉だけを受け取るので、「早熟にならないかな？」と、あまり神経質にならなくてもだいじょうぶです。

10歳以上と10歳未満であれば、下のお子さんをメインにしましょう。というのも、10歳以上になると、なかなかしづらくなるのが性の話。なので、下のお子さんをメインにして、あえてお兄ちゃんお姉ちゃんがいる時に、性教育をするんです。聞いていないふりをしても、きっと聞いていますよ。そうすることで、家庭で性教育をする雰囲気をつくっていきましょう。

10歳というのはあくまで目安ですが、思春期はその子の一生を方向づけるほど、とっても大切な時期。友だちとの違いに戸惑ったり、自分の体の変化を受け入れられなかったり、異性の視線が気になってきたり、大忙しです。体も心も不安定な時期だからこそ、自分に自信がもてるよう、肯定的な親の声掛けが必要です！

性教育の壁を乗り越えよう！

性教育をスタートする覚悟は決まった！
水着ゾーンもばっちり覚えたし、
魔法の言葉「いい質問だね！」を言う練習だって、
軽く100回はした！
いざ、性教育!!

あれ？　待って。
わたし、性器の名前を口にできない。
なんなら「性器」っていう響き自体が
ちょっと恥ずかしい。
あれ？　そういえば、
生理ってどういうことなんだっけ？
精通ってなに？
さっぱりわからない!!

……そうなんです。
性教育には乗り越えなければいけない
壁があるんです！

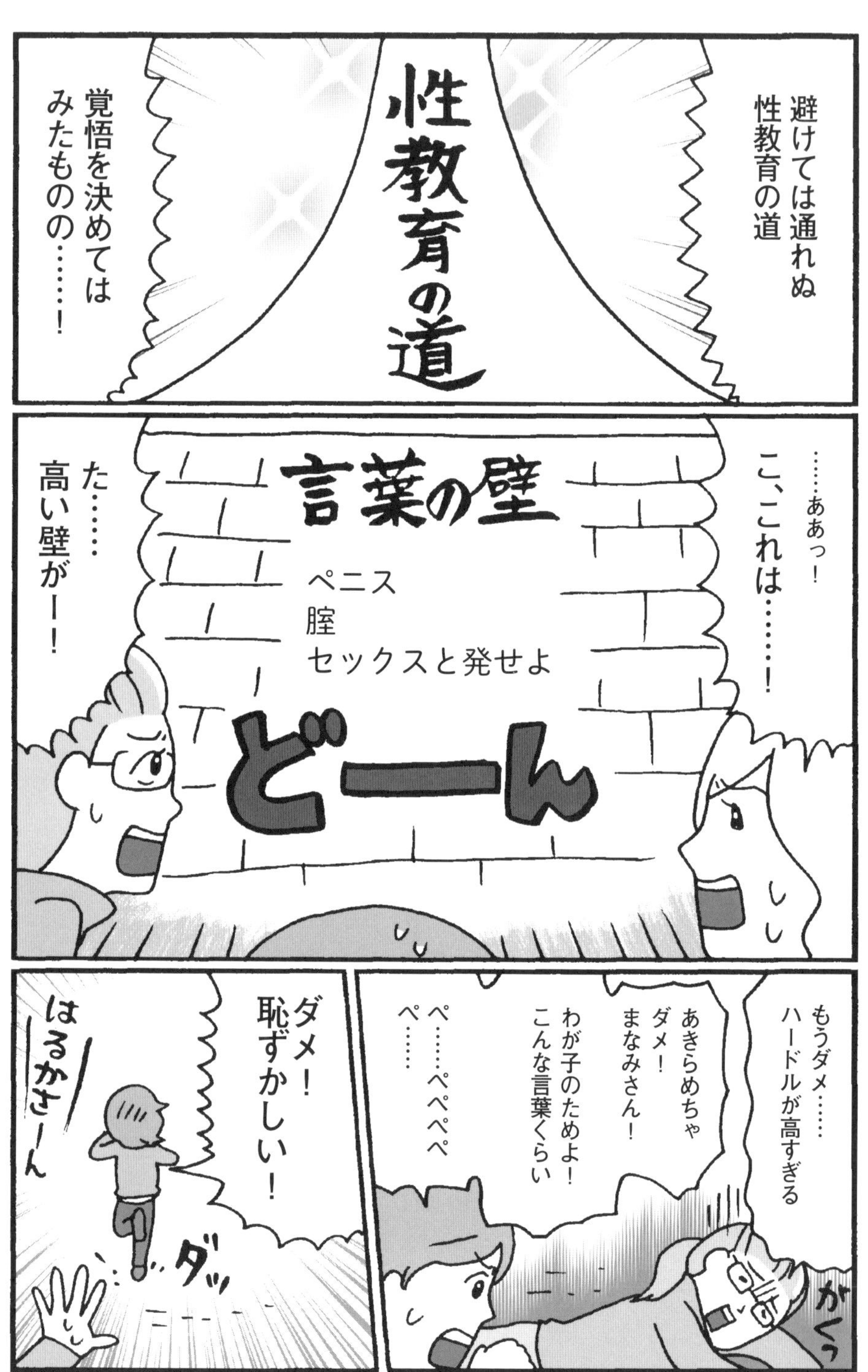
避けては通れぬ性教育の道
性教育の道
覚悟を決めてはみたものの……！
……ああっ！こ、これは……！
言葉の壁
ペニス
膣
セックスと発せよ
どーん
た……高い壁がー！
もうダメ……ハードルが高すぎる
あきらめちゃダメ！まなみさん！
わが子のためよ！こんな言葉くらい
ぺ……ぺぺぺぺぺ……
がくっ
ダメ！恥ずかしい！
ダッ
はるかさーん

性器の名前を口にしなければ、性の話はできません！

子どもが性に求めるものは純粋に「命の誕生」「愛情」「身を守る」この３つです！

大人は「性＝性産業」と思っているから恥ずかしいのです！

がしっ

今すぐその「恥」を捨てましょう！

リピート・アフター・ミー！

ペニス 膣 セックス！

ヤッホー

ペニスー 膣ー セックスー

山びこ

ペ……ニス
ちちち……つ
セッ……クス
ボソボソ
はあ～？なんてっ？
もっと大きな声で！慣れが一番！30回唱えて！
ぺにす ちつ せっくす！
その調子！
ペニス 膣 セックス！
いいよ いいよー！
ペニス 膣 セックス！
い…… 言えたー……！
感動!!
ヤッター!! うちのコしゃべった!! しゃべったわ あなたー!!
ペニス 膣 セックス

よく言えました！
なぜこんなにしてまで
言えるようになって
ほしいかというと

わが子を
守りたいという
気もちは、
「セックス」という
言葉を越えて
やっと伝えることが
できるからです

ちなみに、「ペニス」は「おちんちん」や「ちんちん」と読んでもいいでしょう

使いやすい
単語を選んで
くださいね

ペニスです

みんなからはよくちんちんって呼ばれてます

つぎは、女性器にあだ名をつけてみましょう

うち、「お股」って言ってるわ

一般的に「お股」で
代用しがちですが、
お股は男女にあるので
性教育をする時には
適しません

おヒメちゃん、まんまん、
まんちゃん……
せっかくなので
かわいいあだ名をつけて
あげましょう！

膣です
かわいく呼んでね♥

ニックネーム募集中

方言を使うのも
おすすめですよ

わたしが育った長崎県では
「ぼんじょ」と言っていました

そうよねぇ……
ま、まんこなんて
言いづらいし……

さすがに……

Hな本やAVなどで
よく使われることもあり、
恥ずかしいイメージを
もっている方も
多いですね

どーん

でも、じつはそれ、
誤解なんです！

子どもの死亡率が高かったその昔、
子どもは幸せの象徴とされていました

そのため、
女性器に

「万人の子を
産みますように」

という願いをこめて
「まんこ」という
名前がついたと
いわれています

命を生み出す尊いもの、
神聖なものという
思いのこもった
ステキな名前ですよ！
そーよ
万子でーす
汚れてるのは
わたしの
心!!
恥ずかしいと思っていた
自分が
恥ずかしい……！

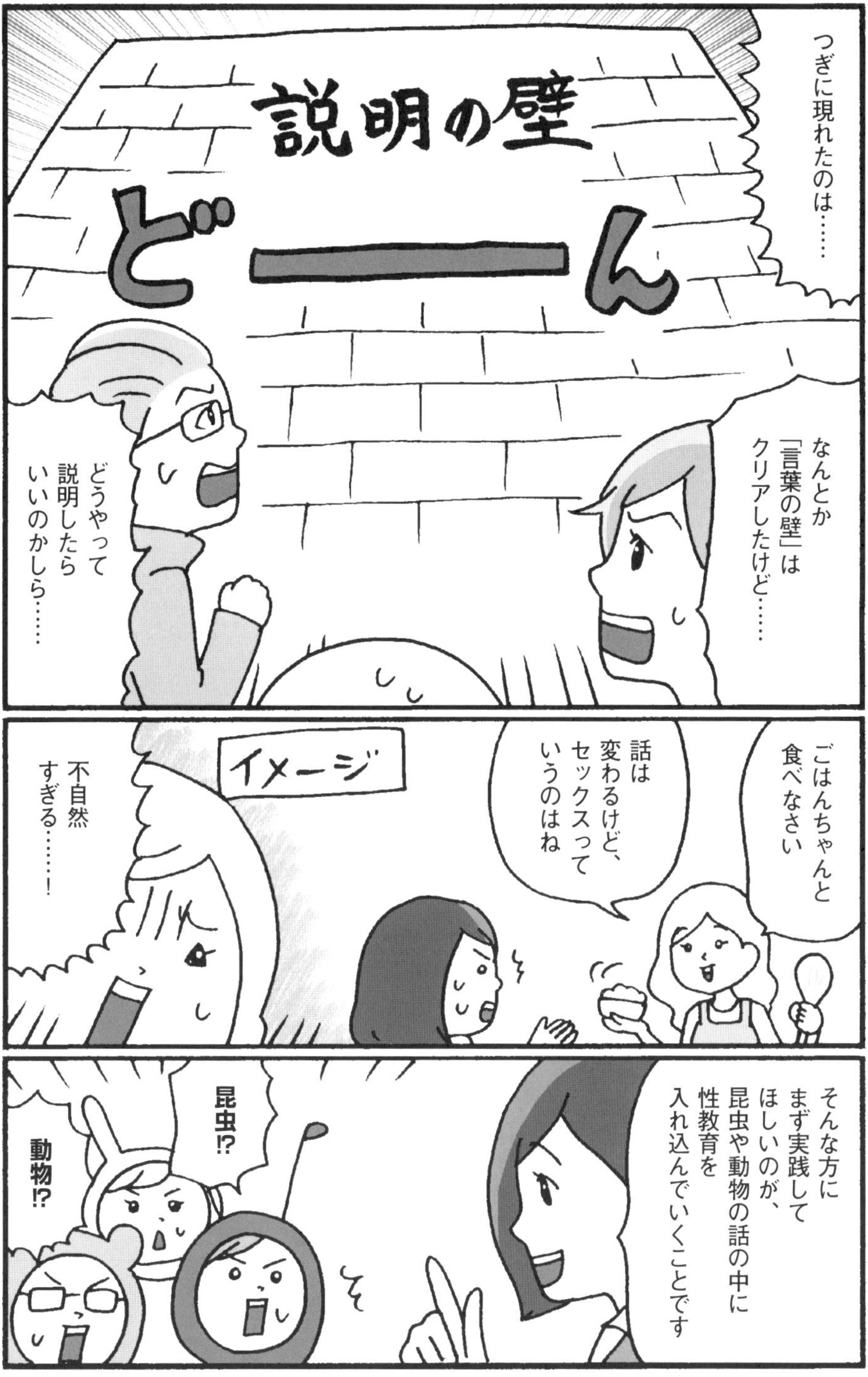

つぎに現れたのは……

説明の壁

どーーん

なんとか
「言葉の壁」は
クリアしたけど……

どうやって
説明したら
いいのかしら……

ごはんちゃんと
食べなさい

話は
変わるけど、
セックスって
いうのはね

イメージ

不自然
すぎる……！

そんな方に
まず実践して
ほしいのが、
昆虫や動物の話の中に
性教育を
入れ込んでいくことです

昆虫⁉

動物⁉

そうです、
子どもは昆虫や動物が
大好きですし
命のバトンを
つないでいるのは
人間も動物も
昆虫も
同じこと！
なので、
立派な性教育に
つなげていくことが
できるんですよ！
たとえば
動物園
大きく生まれる
ゾウの赤ちゃん
ゾウさんの
体って
とっても大きいよね
ゾウさんの
赤ちゃんも、
お父さんゾウや
お母さんゾウと同じように
大きな体で
生まれてくるんだよ
えーっ

大きく育ってから
生まれてくるのは
どうしてだと思う？
それはね、
生まれてすぐに
自分の足で立って、
きびしい自然の世界を
生きていく
ためなの
大切な赤ちゃんが
自分で自分のことを
守れるように、
おなかの中でできるだけ
大きく育ててから産むんだよ
お父さんゾウと
お母さんゾウが交尾をして、
受精をすると、
お母さんゾウはなんと
2年もの間
おなかの中で
赤ちゃんを
育てるんだって！
えーっ
すごーい
すごいよね！
じゃあ、
まーくんはどのくらいの間
お母さんのおなかの中に
いたと思う？
まーくんは
9カ月くらい、
ママのおなかの中に
いたんだよ！
へ～
そうなんだ！
ってことは、
お父さんとお母さんも
交尾したの？
したよー

でも人間の場合、
「交尾」じゃなくて
「セックス」って
いうんだよ
へ～！
セックスって
どうやって
するの!?
セックスって
いうのはね……
ライオン、
パンダ、
カブトムシ、
トンボ……
生き物それぞれ、
命の誕生には
ドラマがあります
子どもの好きな動物や昆虫の
命の誕生や
オモシロ生態を調べて、
ぜひお話してあげましょう！

動物と昆虫！
うちの子、大好きだから
やってみよう！
ママ
虫ー!!
ギャー
いいかもー!!

そして
もうひとつ！
性教育の
お助けアイテム……
パンパカ
パーーン
それは、絵本とマンガ！
えほん
性のこと

お母さんの中には
本当に
見せて
いいんですか!?
卑猥な子に
なりませんか？
興味本位で
性行動を
するように
なりませんか？
と躊躇する
方も多いです

絵のインパクトが
そう思わせるのかも
しれませんが、
性教育の専門家たちが
子どものことを思い、
考えに考えて
つくった本です！
見せては
いけないものなど
一冊もありません！
ただし
ただし？

渡しっぱなしにしないこと！
読んだ後に語り合いを織り交ぜること
前もって親が読んでおくこと
その上で、その本に自分のどんな思いや価値観をのせるのか、そこから子どもになにを受け取ってほしいのか、しっかりと考えておきましょう
渡しただけでは、Hな本を渡すのと同じ行為です！
教官
ビッ!!
イエス・サー！
そして、子どもからの質問に答える準備をしておくことも欠かせません！
本をきっかけに子どもは
ママが最初に好きになった人ってだれ？
はじめてセックスをしたのはいつ？
ママはパパ以外の人を好きになったことあるの？
などいろんな質問をぶつけてきます
ちょっまっ
ビシ
ビシ
ビシ

もちろん、すべてに答える必要はありません
それはママの水着ゾーンだから教えないよ
ココまで!!
とボーダーラインを定めておくといいでしょう
わかりました！先生！
使えるアイテムはすべて使って、レベルを上げていきます！
うちのお姉ちゃんは8歳だから、生理が来る前に教えてあげなくちゃ！
生理
ハッ
ドドド
早い子だともうすぐ来ちゃう子もいるし……
ブラもそろそろ考えなくちゃ！
でもいつ用意したらいいのかしら……⁉
ヤバイもう来そう!!
4年生の誕生日に、いつものプレゼントに添える形でサニタリーショーツとブラジャーをセットで用意するといいですよ！
なるほど！そうします！
いざ急に生理がきてパンツ汚してから買いに行くとか慌ただしいもんね
うちもそうしよ
パンツと言えば……

うちの子、今はおもらしでパンツ汚してかわいいもんだけど……
そのうち夢精とか別のものでパンツ汚すようになるのよね……
その時わたしはどう接したら正解なのかしら……!?
わたしのかわいいボウヤが……
A 明るく突っ込む
なんでやねん
B 無言で洗う
ジャブジャブ
ジャブジャブ
C 鑑識にまわす
現場のパンツ
そんな時は!
奥義!
パンツ洗い!!
そいやっ
どれも不正解ー!!
ブーッ
そのパンツ、今日から子ども自身に洗わせてみませんか?

子どもは近い将来、女の子ならおりものがつくように、そして生理がくると経血で汚すこともあります

男の子は夢精し、予想外にパンツを汚すこともあるでしょう

こうなった時に子どもが1人で焦ったり、落ち込んだりしないように、**「自分で自分のパンツを洗う」習慣を小さい頃から身につけさせておきましょう！**

わが家では、おねしょをする頃からお風呂でのパンツ洗いを実践していますよ

とくに男の子の場合、パンツ洗いは大きな意味をもちます

夢精をした時、マスターベーションをした時、パンツが汚れます

OH

男の子はそれを隠そうと必死に工作します
Mission impossible
見つかる前に俺を隠せ!!

パンツだけを不自然に丸めて洗濯機に突っ込んだり、
コンパクト
コンビニにパンツを捨てたりする子もいるそうです！
燃えるゴミ

お母さんは
どうしても
こうした
小細工に気づいて
しまいます
バレました
でも
気にせず
洗濯に
出しなさいよ
いつの間に
精通きたの？
イヤー
なんて言ったら、
子どもの恥ずかしさはＭＡＸに！
だから、
そんな工作をしなくても
すむように、
幼児期から
子どもにパンツ洗いを
させるのです
親も子も
Win
Win
先生……精通がきたら
息子のソロ活動のことも
どうしたらいいか……
ゴニョゴニョ
マスター
ベーションね
サラリ
マスターベーションは
射精の練習であり、
将来子どもをつくるための
準備でもあります！
日常的にするのが
当たり前で
健全なことなのです！
Yes！

射精の練習……

子づくりの準備……

たしかにそうかも……！

精通がおきると、精液というものが出るようになるんだよ

精液が出るって大人になる証だよ

へー

にはじまり、

マスターベーションをすることはおかしいことではないよ

毎日してもいいよ！ただ片づけ方は知っておこうね

あと、マスターベーションは人に見せるものではないよ

ハーイ

と伝え、子どもと一緒に小さな頃から向き合っていきましょう

わかりました、先生！男の子の性教育ってどうしたもんかと思ってましたが、やはり大切ですね！

むしろ男の子にこそ性教育を！

男の子は
放っておくと、
降ってくる性の情報を
教科書にして
価値観をつくっていきます

巨根崇拝
犯罪！レイプまがいのセックス
強引Sex

それが良いことなのか
悪いことなのか、
普通か普通でないか、
だれも教えてくれなきゃ
なにもわかりません

だから、
男の子にこそ
一歩踏み込んだ
性教育が
必要なのです！

とくに多いのが、
おちんちんの
大きさ問題

AVや
インターネットからは
「おちんちんは
大きいほうがいい！」
という情報が
流れてくるため

男の子は
真剣におちんちんの
大きさで悩む生き物なのです

男の子にとって
おちんちんは、
〝自己肯定感の塊〟
といえます

ここにコンプレックスを
もってしまうと、
自己肯定感を高めるのは
じつはなかなか
むずかしいのです……

おちんちんが大きくなりますように

だから、男の子には性教育を通して、

おちんちんはあなたの大切な場所だから、だれかとくらべる必要なんてない

あなたのおちんちん、かっこいいね！

とほめてあげてほしいのです

決して「大きいね」とほめてはいけません！

わかりました！先生！

ほめて育てます！

イケてる

かっこいい

ホメ

小さい子には「成長して男性ホルモンが出るようになればおちんちんもお兄ちゃんのおちんちんになっていくよ」と教えてあげてください

ところで先生、今さらですが……

「精通」ってなんでしたっけ!?

今さらだけど「生理」の仕組みもぼんやりだわ……!!

「生理」と「精通」はお母さんにとっても、少しむずかしいところですよね
この機会にぜひ理解して、教え方も習得してしまいましょう！

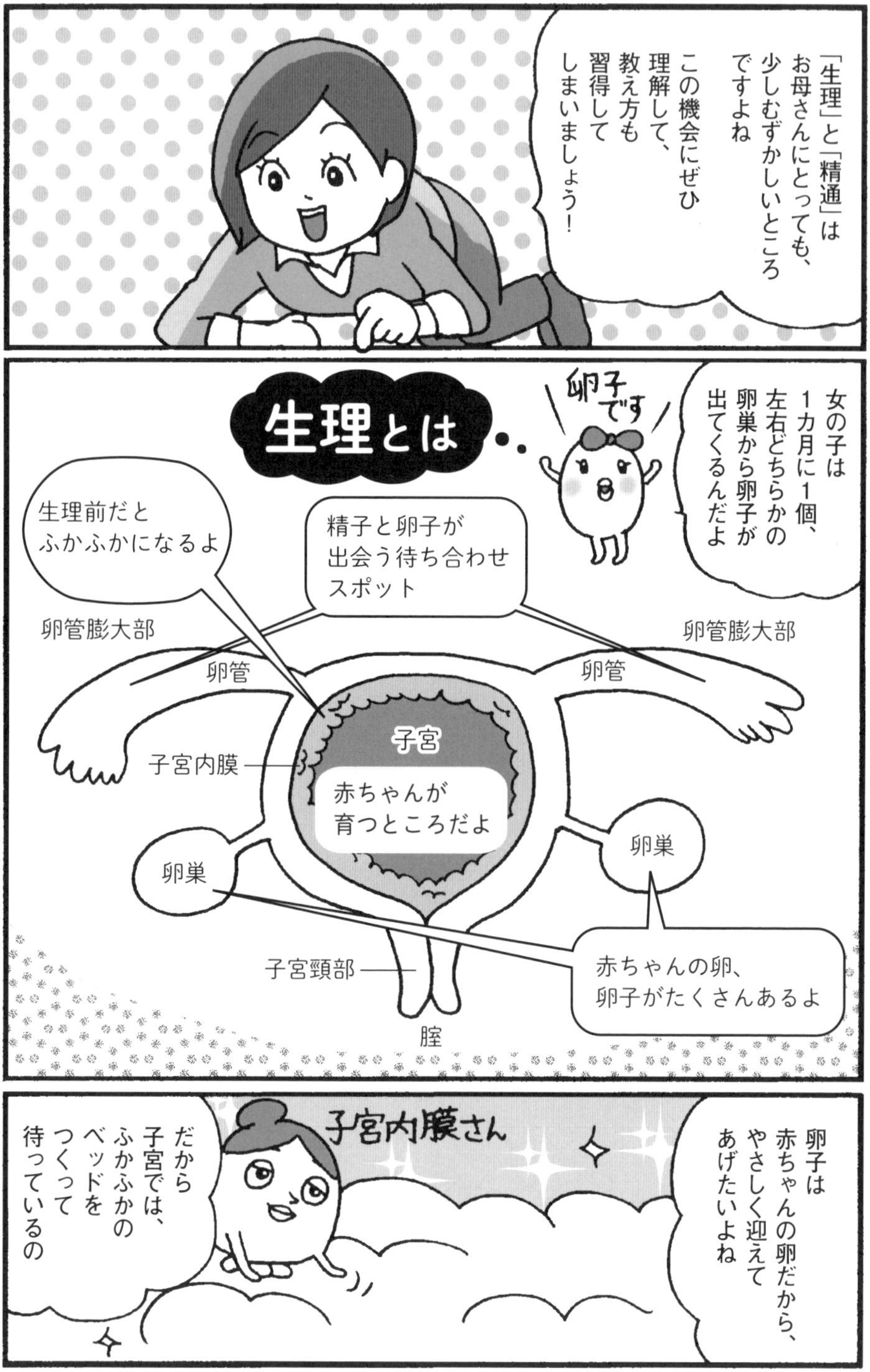

女の子は1カ月に1個、左右どちらかの卵巣から卵子が出てくるんだよ

卵子です

生理とは…

生理前だとふかふかになるよ

精子と卵子が出会う待ち合わせスポット

卵管膨大部

卵管膨大部

卵管

卵管

子宮

子宮内膜

赤ちゃんが育つところだよ

卵巣

卵巣

赤ちゃんの卵、卵子がたくさんあるよ

子宮頸部

膣

卵子は赤ちゃんの卵だから、やさしく迎えてあげたいよね
子宮内膜さん
だから子宮では、ふかふかのベッドをつくって待っているの

でも、
卵子が精子と
出会わなくて、
受精卵っていう
赤ちゃんの卵に
ならなかったら、
そのベッドは
いらなくなって
しまうんだ
だから
経血となって
体の外に
出ていくんだよ
ポイ
毎月毎月
赤ちゃんの卵のベッドを
新品のふかふかに
してあげているの
これが
「生理」だよ
生理は、赤ちゃんの卵の
ベッドの交換の日
なんだね
だいたいの子は
10～13歳の間に
初潮を迎えるの
「血が出る」
というと
不安を募らせ
がちだけど、
祝
初潮
パッパカパーパー
初潮が来たら、
「大人の仲間入りだね、
おめでとう！」って
家族みんなで祝って
ポジティブなイメージに
してあげて！
そして、
生理は大人の体に
なった合図！
あなたの体は
赤ちゃんが
つくれるように
なったんだよ
赤ちゃんが
今できたら
どうなる？
まだ
育てられないね
じゃあ
自分の体を
守っていこうね
と約束しましょう！

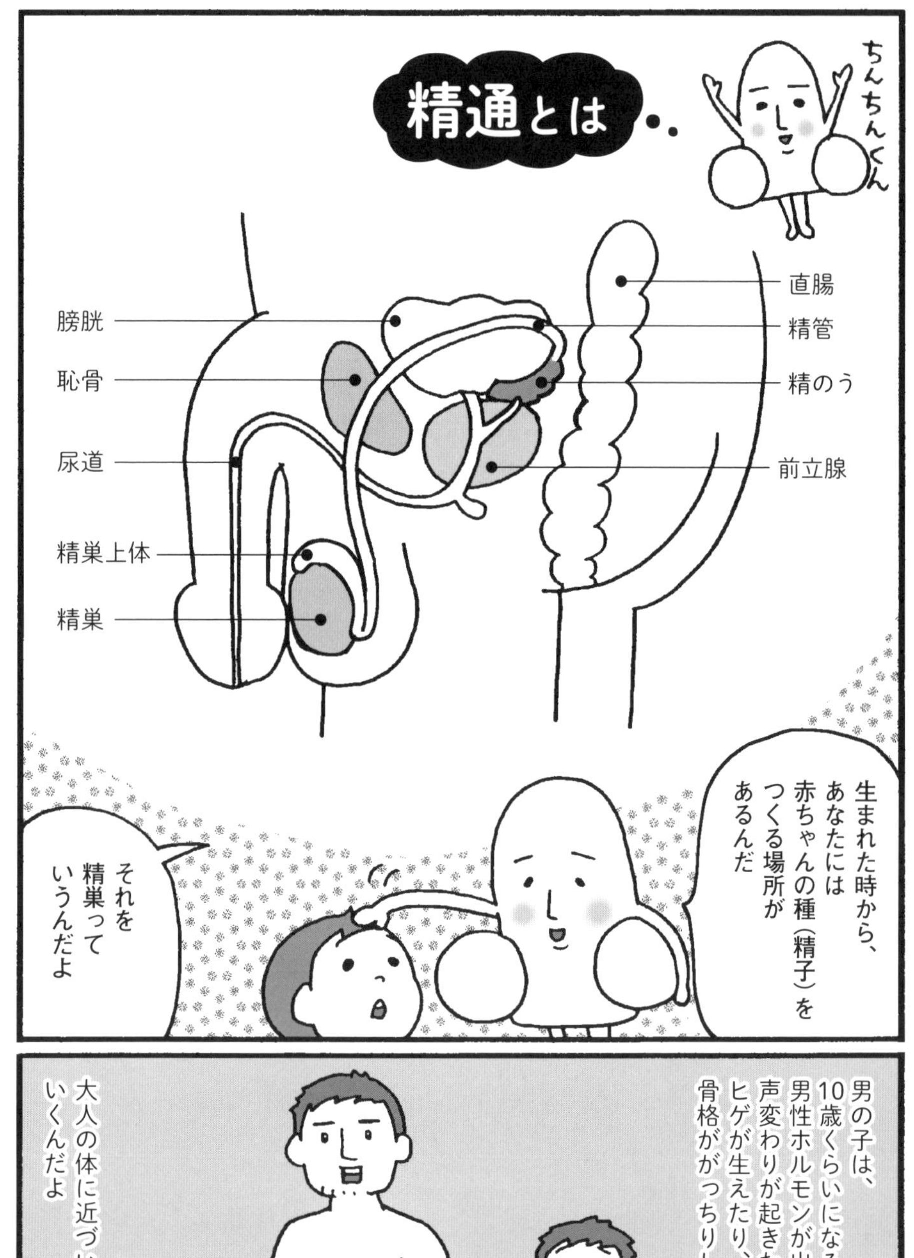
精通とは…
ちんちんくん
直腸
膀胱
精管
恥骨
精のう
尿道
前立腺
精巣上体
精巣
生まれた時から、あなたには赤ちゃんの種（精子）をつくる場所があるんだ
それを精巣っていうんだよ
男の子は、10歳くらいになると男性ホルモンが出はじめて、声変わりが起きたり、ヒゲが生えたり、骨格ががっちりしたりして、
大人の体に近づいていくんだよ

精巣ではね、精子の製造がはじまるんだ

年中無休で働いているんだよ！

おちんちんの先っぽからはじめて精子が出ることを「精通」っていうよ

Boom

これでトンネル開通！それまでは出なかった精子が出るようになるんだよ

精通は大体12歳くらいで迎えるといわれているけど、マスターベーション、もしくは夢精で迎えるよ

精通は大人の男性になった証なので、初潮と同じように、お祝いをしてあげましょう！

祝

おめでとう、もうあなたは大人だね！大人として接していくよ！

それ以降は射精に関して口を挟まないのがマナーです！

先生！わたしたちもしっかり理解できました！

人体の神秘や――!!

COLUMN

教えて！のじま先生！

性教育で
おすすめの
絵本&マンガは？

就学前の
お子さんには…

『ちちんぱいぱい』

作：ささがわいさむ　絵：天明幸子

魔法の言葉「ちちんぷいぷい」ではなくて、
「ちちんぱいぱい」で、おっぱいがトマトやボタンに
大変身！　楽しい&新しいおっぱい絵本です。

『いのちのまつり』

作：草場一壽　絵：平安座資尚

ご先祖様からずーっとつないできた命のバトンリレーは、
だれか１人が欠けても「自分」は存在しない――
そんな命の大切さを味わえるしかけ絵本です。

Nojima's Answer

就学後のお子さんには…

『知ってる? おちんちんのフシギ　おれたちロケット少年』

マンガ:手丸かのこ　解説:金子由美子

おちんちんの大きさ・形、勃起、自慰、包茎、セックスなど、
男の子がこっそり知りたい不安・疑問に答えるマンガです。

『知ってる? 女の子のカラダ　ポップコーン天使』

マンガ:手丸かのこ　解説:山本直英

生理、ブラジャー、男の子との違い、妊娠、出産など、
女の子がじつは気になるテーマについて、
マンガを通じて、丁寧かつ具体的に説明してくれます。

親子で読むなら…

『しあわせになあれ』

詩:弓削田健介　絵:松成真理子

「名前」という両親からの最初のプレゼントをもらった子どもが、
成長していく姿が描かれています。生まれてきてくれた喜びや、
名前の由来など、お子さんに伝えるきっかけになりますよ!

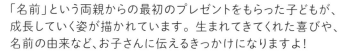

『タンタンタンゴはパパふたり』

文:ジャスティン・リチャードソンほか　絵:ヘンリー・コール

ニューヨークにあるセントラル・パーク動物園で実際に
あったペンギン家族のお話。いろんな「好き」のカタチ・
家族のカタチがあってもいい!　そう思える1冊です。

Q

「あの人、男なのに
スカート履いてる！
変だよね？」と、
子どもが質問してきた！
どうしよう？

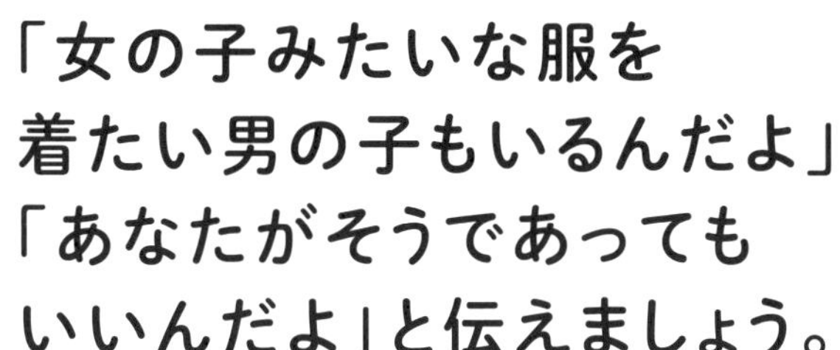

A 「女の子みたいな服を着たい男の子もいるんだよ」「あなたがそうであってもいいんだよ」と伝えましょう。

LGBTという言葉を一度は聞いたことがあるのではないでしょうか?

レズビアンのL(女性同性愛者)、ゲイのG(男性同性愛者)、バイ・セクシャルのB(両性愛者)、トランスジェンダーのT(生まれもった性にとらわれない人)の総称で、セクシャル・マイノリティ(性的少数者)と称される人を指す言葉です。

今、このLGBTの人は10人に1人。左利きやAB型の人よりも多い割合といわれています。ただ、「自分はまわりの子と違う」と、悩む子どもも少なくなく、いじめの対象になることもあるようです。

でも、人と違うことがそんなにいけないんでしょうか?

生まれながらの性別にとらわれない性別のあり方が見直され、世界中で同性間の結婚や、それと同じ権利を認める動きが活発化していますが、日本はずいぶん遅れをとっています。

子どもの価値観は、親の価値観で決まります。親がLGBTの人に肯定的であれば、子どもはどんなお友だちも受け入れることができるもの。また、自分がLGBTだと気づいた時、自分の存在を否定せずに済むのではないでしょうか。

LGBTに限らず、すべての子どもが、自分の「好き」を尊重される。そんな世の中になるよう、声掛けができるといいですよね!

親から子へ、命の授業！

性教育の高い壁を乗り越えて、
人体の神秘にも感動!
わが子が大人になっていく姿を
あたたかく見守っていきたい。

そう思ってたけど、わが子が
「○○くんとデートするんだー♡」
「小学生でキスなんて当たり前でしょ」
なんて言ってる。
うそでしょ!?
まさかキスの先まで考えてる!?

でも、セックス自体が悪いわけじゃないし、
「なんでダメなの?」って聞かれたら、どうしよう。

……性教育はそんなピンチをチャンスに変えます♪
親から子へ、命の授業をはじめましょう!

人体の神秘について
学んだわたしたち
性ってすごい
システムだなー!!
これでもう
性についての
説明も十分!
では、もう一歩
踏み込んで、
命の奇跡について
知っておきましょうか
命の奇跡?
初潮がきて
セックスをすれば、
常に妊娠する可能性は
あります
セックスをして
受精をして
着床して
妊娠成立
ただ、実際は
ホップ、ステップ、
ジャンプとは
いきません
妊娠は
いくつもの奇跡が重なって
起きることだと
知っていますか?

セックスをすると、男性のペニスから出た精液が女性の膣内に入ります

わー

わー

この瞬間から、「精子のサバイバルゲーム」の火ぶたが切って落とされます！

負けねーぞ

あんだとゴラ

1回の射精で出る精液の中には、2億から4億個もの精子が入っています

ヨーイドンッ

各精子一斉に卵子を目指してスタート！

おーっと！最初のコース、酸性に保たれた膣内では、弱い精子が非情にもダウン！

オレはもうダメだ……せめてお前らは先に行けー！

解説のちんちんくん

ここまで射精から30分

なんと99%が命を落とします！

生き残った
1％の精子たちは、
傷つきながらも
子宮頸部に進みます
そしてついに……
子宮へと
足を踏み入れます！
ギイイ……
子宮
この時さらに
多くの精子が脱落！
つぎなる目的地は
卵管！
ひ、広い……！
ここが子宮か！
卵管の
入口は
どこだ……？
子宮の中は
精子にとって
広大な世界
そう簡単に
卵管に続く
小さな入口は
見つかりません
侵入者ハッケン
侵入者ハッケン
うわー！
白血球だー！
精子を悪者だと
勘違いしてしまう
必殺仕事人！
白血球が登場！
ビー
ビー
懸命に逃げまわる
精子たち！
アーッ
捕える
白血球！
ビー
ビー

卵管の入口だーー！

WELCOME

卵管

しかし、なんという非情！

卵管は左右２つに分かれており、卵子がどちらにあるかわかりません！

どっちだ？

どっちだ？

確率２分の１の大バクチ！

こっちだー！

やった……！正解だ！

当たり

逆側に行ったやつらは全滅か……

大バクチに勝って運良く卵子にたどりついた精子たち……

ここで卵子の中に入れるのはたった１匹です！

ドンドンドン

入れてくれー！

卵子！迎えに来たよーー！

もっとも勇敢な精子の前でのみ扉が開き、

ヒュッ

あっ

瞬時にシャットダウン！

ガシャーン

こうして受精卵が誕生！

合体!!

すごい、がんばったね
精子たち……！
妊娠成立まで
そんな
壮大なドラマが
体の中で
起こっていたなんて!!

まだ早い！
まだ
あるのー!?

受精卵は
細胞分裂をしながら
約1週間かけて、
卵管の中から
子宮内膜のベッドに
移動しなくては
なりません
受精卵
えっさ
ほいさ
これが
着床です

しかし、
着床は簡単なこと
ではありません！
ベッドが
ふかふかの
タイミングでなければ、
着床には至りません
アーッ
また、
細胞分裂が
うまくいかなかったら、
受精卵は着床する前に
生理となって
流れてしまいます
しっぱい

何千、何億という
奇跡がつながったから、
お父さんも、お母さんも、
愛する子どもたちも
今、ここにいます
お父さん
お母さん
ありがとう……！
セックスの話を
することは
性教育の最大の壁だと
思っていたけど……
命の奇跡って
考えると
なんで、
セックス＝卑猥って
今まで思って
たんだろう……
これなら
子どもに
話せそう！
……わたし、
じつをいうと
二人目は
なかなか
できなくて、
不妊治療で
産んだの
わが子に会えるって
奇跡的なんだって
改めて思った……
ええ！
りささん
不妊治療
してたの!?
初耳!!
スヤー
そうなんだけど……
なんか
「不妊治療で産んだ」って
言いづらくて

命のスタートって、セックスでも人工授精でも体外受精でもなんでもいいじゃないですか！
どんな子どもの命も誇るべきものです！
大事なのは、命のスタートではありません！生まれてからの子育てです！
のじま先生……
かくいうわたしも3番目の子どもは治療をして授かったんですよ！
そうなの!?
めずらしいことではありません
日本で2016年に行われた体外受精は44万7790件
出生児の約18人に1人に当たります
学校の1クラスに2人は体外受精で生まれた子どもがいる時代になっているんですよ！
1/18
今、10組中4組の夫婦がタイミング法、排卵誘発法、体外受精、人工授精などなにかしらの不妊治療を受けていると
いわれています

不妊治療、本当に大変だった……

治療と仕事、家事、上の子の育児！

検査や注射のために来院日時を指定されて仕事は欠勤や早退

よみがえる記憶

だから、続けられなかったよね……仕事

もっとヤれば済む話だろ

上司の理解もなかったし

厚生労働省の２０１７年の実態調査から、不妊治療をした人のうち16％が会社を退職していることが明らかになっています

結婚して数年たっても子どもがいないと

子どもはまだ？

1人産んでも

2人目まだ？

悪気がないとは思っているけど、プレッシャーなのよー！

ゴオオオオ

孫はまだかい？

りささんなにか原因があるんじゃないの？

義母

あと、お義母さん！わたしだけが原因じゃないのになんで決めつけるのー!?

りささんしっかりー！！

そうなんです、じつは男性と女性の不妊の割合は半々くらいです
男性不妊の原因の大半は、精子の質が落ちていること
食事やいろいろな化学物質、肥満、ストレス、運動不足……などなど
さまざまなことが精子の質に影響を与えているといわれています
子どもたちには
とくに男の子!!
将来、赤ちゃんがほしいのにできない時は、女性に原因があると決めつけたらいけないよ！男性にだって不妊はあるんだよ
治療を女の人に押しつけるんじゃなくて、男性も治療に参加するという考えをもっておいてね
と、伝えておきましょう
なるほど！
うちは幸いにも夫がきちんと治療に参加してくれたけど……男性も大変みたいね
決まった日にセックスするプレッシャーとか
18日
この日!!
病院の個室で精子出してって言われたりとか
子どもは2人でつくるものだから、互いに思いやらないと不妊治療ってうまくいかないよ

あと、金銭面でも
負担だったよね
うちは
新しい車
買えたなーって
感じ

10000
10000

ぜひ
不妊治療をして
できた命だということを
お子さんに
お話してください

えっ
なんで!?

どんな子どもも
将来、治療を必要とする
可能性があるからです
不妊が疑われた時、
子どもをつくる、
つくらないという選択は
当然あって
いいと思います
でも、もしつくることを
選ぶのなら、
実現して
ほしいですよね

わたしは
どうしてもあなたに
会いたかったから
治療したの
もし
同じ状況になったら、
あなたにも子どもに
会いたいという気もちを
大切にしてほしいな

と、味方になって
あげましょう！

不妊は恥ずかしいという
考え方がなくなり、
不妊治療を特別扱いしない
世の中になっていけば、
セクハラは減り、
日本の子どもの数は
増えるかもしれませんね

妊娠ってつくづく奇跡……
しみじみ
うんうん
ただ、忘れてはいけないのは、「奇跡」という単語は「簡単には妊娠しない」という意味ではないことです！
くれぐれも!!
子どもたちが「奇跡＝1回くらい避妊しなくたってだいじょうぶ！」と誤解しないように説明してください
ロシアンルーレットだぜ
ヤングはよく当たるぜ
ほしい人にできない反面、できては困る世代にできちゃうのって皮肉よねー
ピチピチ
妊娠の確率は若いほど高くなります
精子も卵子もピチピチ元気だからこそ、受精しやすいのです

望まないのに
できちゃう10代
望んでできる20代
望まないとできない30代
これが
現実です！
つかまえた
ヤン
そのため、
子どもたちが
知識をもたずに
興味本位でセックスを
してしまえば
簡単に妊娠をします！
親は子どもが
望まない人生を
選ばなくて済むように、
導いていきたいですよね
うーん
そのためには
なにを
どう伝えたら
いいんだろう……
セックスすること
自体は
悪いことではない！
むしろ、
すてきなこと！
もちろん、
産まない人生も
あっていいけど、
子どもを産むって
すてきなこと！
恋って
苦しいことも
あるけど、
やっぱり
すてきなこと！
でも、
すてきなことを
すてきなままに
するためには、
セックスと避妊に関する
知識が必要なんです！

そのためには、
親子できちんと
性と命のあり方、
将来設計を
話し合うことが
本当に大切です
自分の人生を
選択できない状況に
しないこと！
セックスは
命のバトンリレーを
するための
行為だよね
セックス自体は
悪いことではないよ
でも、
セックスには、
妊娠の可能性が
伴うことを
忘れないでね
子どもができるって
どういうこと？
すばらしいことだけど、
親は育てる責任を
もたなきゃいけないよね
なぜ今子どもを
産んではいけないか
わかる？
体も心もまだ
成長している途中
だよね
経済的に養って
いくって
どういうこと？
働くとなったら、
自分の夢は
どうなるの？
子どもを健やかに
育てるためには
親の体・心・環境が
整っていることが
重要なんだよ

以上をふまえて、しっかり話そう！

避妊・中絶・コンドーム！

リピートアフターミー！！

キスやセックスなどの性的接触によって感染する病気をひっくるめて「性感染症」といいます

避妊・中絶・コンドーム！

性感染症には、死に至るものや後遺症が残ったり重い症状を引き起こしかねない病気もあります

性器ヘルペス

梅毒

淋病

クラミジア

エイズ

これらすべて性感染症です！

高校生でセックスの経験がある男の子の7・3％

女の子は13・9％

全体で11・4％が性器クラミジア感染症に感染していたという報告もあります！

性感染症は子どもの身近に迫る病気なのです！

キヒヒ

ぎゃー怖い！

そこで！

性感染症と
望まない妊娠を
防いでくれる
唯一のアイテム
君を守るぜ!!
それがコンドーム！
ドーン
コンドームは
子どもの体を、
そして命を守ります！
男の子も
女の子も、
コンドームを
持っていていいのです！
持つべきなのです！
今やコンビニでも
買えます！
コンドーム党
男の子も女の子も一緒、
性感染症から
あなたの命を
守ってくれるのは
コンドームだけ！
うせろ!!
ステキ♡
淋
性感染症も防げて
おまけに
避妊もできる！
つけないなんて
ノーサンキュー！
つけない男も
ノーサンキュー！

性感染症を防いで
避妊もできるって
伝えるんですね

逆じゃ
ないんだ

「コンドームは避妊具」
と教えている限り、
つける・つけないは
人任せになってしまいます

妊娠するのは
女だから
女の問題じゃん

つけるのは
彼なんだから
彼に
任せておけば
だいじょうぶ

性感染症予防ということを
まず伝えれば、
より当事者意識をもたせることができます

守ってくれて
ありがとう！
コンドームさん！

しかし！

聞いて～!!

コンドームでも
4～13％くらいの確立で
避妊に失敗することが
わかっています

意外に
多いな！

正しく
使っていたけど
破れてしまったり

途中からつければ
OKという
間違った使い方を
していたり……

避妊率から考えれば、ピルとコンドームの併用がもっとも安全です
ピルは避妊以外にも生理痛の軽減や子宮内膜の治療などさまざまな目的で服用されています
ボクら
ピル&コンドームでーす
ただし、性感染症を防げるのはやはりコンドーム一択！
ピルでは防げません！
ウェイウェイ
また、ピルは女性にとって負担がとても大きいです
ずっしり
病院まで行くのも、お金を払うのも、飲み忘れがないよう神経を使うのも女性です
若いカップルに女の子任せの避妊を許してしまえば、男の子の避妊に対する気もちは育ちません
やはりコンドームはマストアイテム！
でも、もし失敗して望まない妊娠なんてしてしまったら……
ちゅ、中絶……？

「中絶」も
選択肢のひとつです
ただ
「妊娠をしてしまっても
中絶という手段があるからね」
なんて教えるのは
完全に間違っていますよね

中絶は手術だから
だから体には
危険が伴うんだよ

中絶は新しい命を
殺してしまう
ことなんだよ

命って
そんなに粗末に
扱っていいものじゃ
ないよね

中絶は心にも体にも
負担になることを
しっかり子どもに
伝えなければいけません

子どもには
そんなつらい思いは
させたくないよね！
女の子に
つらい思いをさせる
男の子にも
なってほしくない！
そのためには
やっぱり
性教育が
必要なんだね！
それでも、
妊娠の可能性を
心配するような出来事が
起こるかもしれません

そこで
最後の砦と
なるのが……
ムキーーン
72H
緊急避妊ピル
通称
モーニング・
アフターピルです！
ジャーーーン

黄体ホルモンを
主成分とした錠剤で、
避妊に失敗した時から
72時間以内に飲めば、
約90％の確立で
妊娠を防げます！
72H
72時間
以内!?
スタートライン

72時間を過ぎれば
着床を防ぐことは
できません
着床しかかって
いる時に
飲んでしまうと、
逆に着床を
誘発してしまう
ということもあります
72H
指定病院の
医師の処方で
手に入れることが
できます
今は5千円と
価格も安くなりましたが、
高校生が1人で処方を希望して
来院しても、
お金を払えないからと
帰っていく例も多いそうです
72H
わたしには
高い……

緊急避妊ピルの存在を
知っていても
飲めないのでは
意味がありません！
最近は
インターネットでも買える
緊急避妊ピルもありますが
正体がわかりません……
やはり病院に行くべきでしょう
ニセモノかも
だから、
わたしは娘に
万が一という時は、
すぐにママに
言いなさい！
１人で悩まなくても
いいからね
と伝えています

もしも
避妊なしのセックスが
原因なら
これだけ言って
きたのに、
伝わって
いなかったんだ……
自分を大事にして
くれなかったんだ……
めっこり……
と、己のあり方を
反省するでしょう

でも、
きっと
娘を
守りたい！
へこんでる
場合じゃ
ない!!
という
思いのほうが
強くなると
思うのです

ママに相談してくれてありがとう
と伝え、緊急避妊ピルを飲ませ、親子でつぎの生理を待ちたいと思っています
もちろん、最後の砦があるからといって、安易にセックスをしていいとは決して言いません
でも、解決策があるのなら使うべきだと思うのです
逃げていても、妊娠の不安は募るばかり……
将来
妊娠
家族
学校
友人
そんな孤独でつらい思いを、わが子にはさせたくありませんよね
男の子だってちゃんと知っておかなきゃいけないことだよね！
ふだんからの声掛けが大切ってことよね！
避妊、中絶、コンドーム！もしもの時のこともちゃんと話そう

さぁ、子どもたちの未来のために

明るく楽しい性教育をしていきましょう！

ハーイ!!!

今日帰ったら
さっそく
性教育してみるわ！
わたし
やるわ!!
たがいに
健闘を
祈る！
解散！
ひなちゃん、
あのね……
昼間言ってた
ことだけど
え～
なぁに？
赤ちゃんが
どうやって
できるかって
ことだけど……
男の人の
ぺ……
ぺ……
ぺ……
ファイト！

……っダメだ！ハードルがまだ高い！

おやすみぃー

赤ちゃんはガチャガチャでしょ～！ひな、明日も妹探すの

ガシャン

刷り込まれた羞恥心はそう簡単には拭えない！

喫茶○○

ダメだった……！

うちも……

わたしも……

性教育の覚悟は決めたんだけど、タイミングとかむずかしくて、うまく伝える自信がないよ……！

もうやっぱりフタをして逃げちゃいたい！

先生の話、聞かなかったことにしちゃう？

性教育スか？
!!?
コト
コーヒーふたつと紅茶お待たせしました～
してあげたほうがいいスよ
ゴメンね聞こえちゃった
ギャル？
同級生でこないだ学校辞めちゃった子がいたんだけど理由は妊娠したから……
その子、泣いてたよね
将来の夢もあったけど産みたいからあきらめるって
でも、これから自分の人生、どうなるのか怖いって……
その子がよくない部分もあるけどさ～、親は性教育なんて教えてくんなかったし、学校でだって習わなかったよ
そのくせいざ妊娠したら親も学校もテンパっちゃって……

人生の先輩たちに
もっといろいろ
教えてもらってたら
もうちょっと
違ってたかなって
思うよ

だから、
わたしは
自分の子どもには
絶対に教えるよ、
性教育

あの子みたいな涙……
見たくないもん

恥ずかしいとか
言ってらんないスよ

オギャー
オギャー

命と人生の
話でしょ

ピンポーン

ハーイ
今うかがいまーす

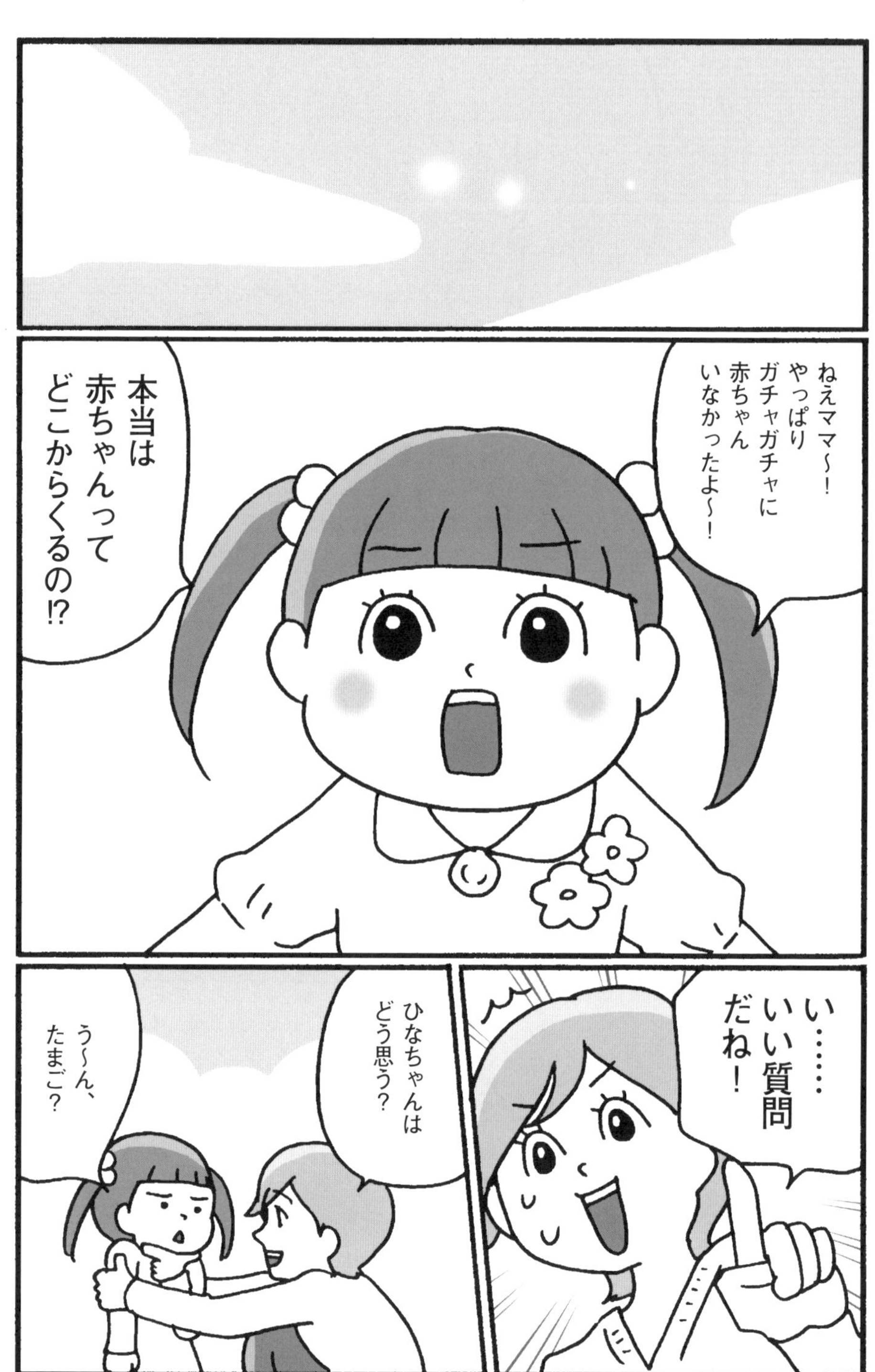
ねえママ～！
やっぱり
ガチャガチャに
赤ちゃん
いなかったよ～！
本当は
赤ちゃんって
どこからくるの⁉
い……
いい質問
だね！
ひなちゃんは
どう思う？
う～ん、
たまご？

たまごかー！

たまごはどこからくると思う？

え〜！にわとりさんはうんちみたいにおなかから出すよ

そうね、ママのおなかにもひなちゃんのおなかにもじつは小さな命の卵があるんだよ

え〜！ひなにも⁉

ママの卵にパパの精子っていう命の種が出会って、ママのおなかの中でひなちゃんになったの

え〜！おなかの中で〜⁉

ママとパパが愛し合ってつくったのよ

そう、おなかの中でひなちゃんが外に出てもだいじょうぶなくらいまで大事に大事に育てて産んだの

生まれてきてくれてありがとう

愛し合うってどうするの〜？
それはね……
……さて、みなさんは性教育の心構えはできましたか？
性教育は子どもの命と未来を守るもの

愛を伝えて
子どもが自分を
愛せること
危険がひそむ
世の中に
無防備で
放り出しますか？
身を守る術を
教えますか？

どうか
子どもの体と心、
そして未来を
守ってください

あなたのその
第一歩が

命と
人生を守る
道しるべと
なります

おわりに

最後までお読みいただき、ありがとうございます！
マンガでわかる「今日からおうちでできる性教育」、いかがでしたでしょうか？

年間1万人以上のお母さん・お父さんに性教育をお伝えしていますが、
とにかく多いお悩みがやはり「恥ずかしさ」。
この壁は、富士山よりも、エベレストよりも高く、難攻不落の壁で、
これをどうやったら崩せるか……みなさん奮闘されていますよね。

そんなみなさんに、
「明るく楽しい性教育があるんだよー！」と知っていただきたくて、
活字にしたり、講演をしたり、雑誌やテレビで発信したりしてきましたが、
ある時、「ピーン！」とひらめいたのが「マンガ」でした。

実際、ふじいまさこさんが描いてくださったマンガは、
ユーモアとウィットにあふれていて、わたし自身何度笑ったかわかりません（笑）
そして、マンガに登場した女の子が「セックスってなぁに？」と
お母さんにたずねる表情は、まさにリアルそのもの！

そこには、性に関する偏見や、いやらしい気もちなどはまったくありません。
そこにあるのは、混じりっ気のない純粋な興味だけ。

子どもは「本当のこと」を知りたがっているんです。

性教育は学校でも行います。
絵本でも、マンガでも、性を学ぶことはできます。
でも、そこに「愛情」をプラスできるのが、親から伝える最大のメリットです。
くさい言い方になってしまいますが、
「愛情」って、生きていくうえで欠かせない最高のエネルギーなんです。
だからこそ、性教育は親から子どもへのかけがえのないプレゼント！

生まれてきてくれてありがとう。
――まずはこのひと言から、
お子さんへの性教育をスタートしてみてくださいね。

性教育アドバイザー　**のじまなみ**

●監修者紹介
のじま なみ
性教育アドバイザー。とにかく明るい性教育【パンツの教室】協会代表理事。防衛医科大学校高等看護学院卒業後、看護師として泌尿器科に勤務。夫と3人の娘の5人家族。
「子どもたちが危険な性の情報に簡単にアクセスできる世界にいること」に危機感を抱き、2018年、「とにかく明るい性教育【パンツの教室】協会」設立。家庭でできる楽しい性教育を伝える。2020年3月現在、インストラクターは海外ふくめ200名。メルマガ読者は17000名を超える。テレビをはじめ、新聞、雑誌など、国内外のメディアから多数の取材を受ける。また、幼稚園、保育園、小学校、中学校、行政、企業などから要請を受け、全国で年間70回以上講演。著書に『お母さん! 学校では防犯もSEXも避妊も教えてくれませんよ!』(辰巳出版)、『男子は、みんな宇宙人!』(日本能率協会マネジメントセンター) などがある。

●マンガ家紹介
ふじい まさこ
千葉県在住漫画家・イラストレーター。おもにコミカルタッチのイラストで雑誌や書籍で活動中。自著に『育犬ビビ日記』(緑書房) などがある。

●ブックデザイン　あんバターオフィス
●DTP　エムアンドケイ
●編集　日本図書センター (高野愛実)

学校もママ友も教えてくれない 明るく楽しい性教育
「赤ちゃんってどうやってできるの?」にきちんと答える親になる!

2020年4月25日　初版第1刷発行
2021年8月25日　初版第2刷発行

監修者　のじま なみ
発行者　高野総太
発行所　株式会社日本図書センター
〒112-0012　東京都文京区大塚3-8-2
電話　営業部　03-3947-9387
出版部　03-3945-6448
HP　http://www.nihontosho.co.jp
印刷・製本　図書印刷株式会社

ISBN978-4-284-20469-9 C0037